もう返事に困らない!

KAESHI KOTOBA
PHRASEBOOK

かえし言葉のフレーズ事典

監修 吉田裕子

永岡書店

はじめに

「ありがとう」
不意に感謝の言葉をかけられて、一瞬口ごもってしまった経験はありませんか？

「どういたしまして」は何だかあつかましい？　せっかくお礼を言ってくれているのに「いやいや」と謙遜《けんそん》するのは雰囲気を悪くする？
そう戸惑って、はにかんで会釈《えしゃく》するだけで終わってしまう。そんな、もったいない思いをした経験が誰しもあるでしょう。

こんなとき、素敵な言葉を贈り返すことができたら、より相手との関係が豊かになるはずです。そんな言葉の贈り物を本書では「かえし言葉」と名づけました。
かえし言葉は、上から目線にならず、かといって下手《したて》に出すぎるのでもなく、相手と自分との気持ちの両方を大切にして、よりよい関係を築くための言葉です。

ちょっとした言葉をかけられたとき、上手なかえし言葉をかけて場をなごやかにするコツは、なんといっても言葉の引き出し、つまり語彙を増やすことでしょう。

本書ではかえし言葉のフレーズを105のシチュエーション別にまとめました。それぞれの場面ごとに複数のかえし言葉を紹介しています。

かけられて嬉しい言葉。困ってしまったり、悲しくなってしまったりする一言。日々の生活を送るなかで、さまざまな声かけに応じなければいけない場面がありますよね。

本書では、バラエティ豊かにシチュエーションを用意しました。毎日どこかで使えるフレーズがきっと見つかるでしょう。

そして、かえし言葉を上手にかけるもうひとつのコツは、たくさん使うこと。

本書の言葉を覚えたら、自分の言葉になるまで実際に口に出してみてください。口下手な人は、メールやSNSから始めてみてもいいでしょう。続けるほどに円滑な関係をあちらこちらにつむぐことができているはずです。

本書があなたとまわりの人たちが幸せな毎日を送るための一助となりますと幸いです。

CONTENTS

2章

嬉しいときのかえし言葉

3章

困ることのかえし言葉

4章

報告を受けてのかえし言葉

5章

ちくちく言葉のかえし言葉

6章

ビジネスのかえし言葉

09 ねぎらい

使って便利なかえし言葉語彙集

本書の読み方

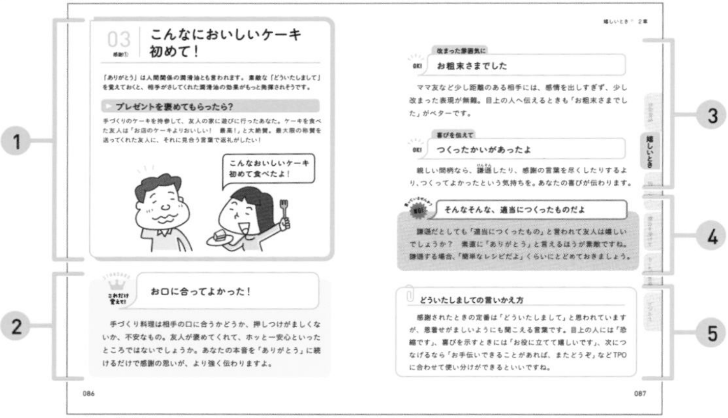

嬉しいとき　２章

03
感謝①
こんなにおいしいケーキ初めて！

「ありがとう」は人間関係の潤滑油とも言われます。素敵な「どういたしまして」を覚えておくと、相手がさしてくれた潤滑油の効果がもっと発揮されそうです。

▶ プレゼントを褒めてもらったら?

手づくりのケーキを持参して、友人の家に遊びに行ったあなた。ケーキを食べた友人は「お店のケーキよりおいしい！　最高！」と大絶賛。最大限の称賛を送ってくれた友人に、それに見合う言葉で返礼がしたい！

こんなおいしいケーキ初めて食べたよ！

これだけ覚えて！

お口に合ってよかった！

手づくり料理は相手の口に合うかどうか、押しつけがましくないか、不安なもの。友人が褒めてくれて、ホッと一安心といったところではないでしょうか。あなたの本音を「ありがとう」に続けるだけで感謝の思いが、より強く伝わりますよ。

改まった雰囲気に
OK! **お粗末さまでした**

ママ友など少し距離のある相手には、感情を出しすぎず、少し改まった表現が無難。目上の人へ伝えるときも「お粗末さまでした」がベターです。

喜びを伝えて
OK! **つくったかいがあったよ**

親しい間柄なら、謙遜《けんそん》したり、感謝の言葉を尽くしたりするより、つくってよかったという気持ちを。あなたの喜びが伝わります。

NG! **そんなそんな、適当につくったものだよ**

謙遜だとしても「適当につくったもの」と言われて友人は嬉しいでしょうか？　素直に「ありがとう」と言えるほうが素敵ですね。謙遜する場合、「簡単なレシピだよ」くらいにとどめておきましょう。

どういたしましての言いかえ方

感謝されたときの定番は「どういたしまして」と思われていますが、恩着せがましいようにも聞こえる言葉です。目上の人には「恐縮です」、喜びを示すときには「お役に立てて嬉しいです」、次につなげるなら「お手伝いできることがあれば、またどうぞ」などTPOに合わせて使い分けができるといいですね。

086　087

1
2
3
4
5

1 シチュエーション（場面）
返答に詰まってしまいがちなシチュエーション（場面）をとりあげます。

2 かえし言葉：スタンダード
これだけ覚えていれば……なかえし言葉を紹介します。

3 かえし言葉：応用編
相手に合わせて使いたい応用編のかえし言葉です。

4 NGかえし言葉
状況によって使えるかもしれませんが、言ってしまいがちで、配慮に欠けるかえし言葉とその対処法を紹介します。

5 ミニコラム
知って得する＋α情報です。

1章

日常会話のかえし言葉

1章

日常会話の

かえし言葉おさえどころ

雑談力を磨くのは難しい!?

書店でも目につくのは、雑談についてのビジネス書。雑談なんて本を読んで学ばなくても、誰でもできるでしょうと不思議に思う人もいるかもしれませんね。しかし、今、雑談について学びたいと思う人が増えている背景にはいくつかの理由があります。

1つ目はメールやメッセージアプリ、オンライン会議用のツールの普及で、対面での日常会話の機会が減っているから。コロナ禍以前は、会議が始まるまでの待ち時間や、エレベーターホールまでの移動時間など、雑談の場数を踏む機会が多くありましたが、現在はそんな機会も少なくなっています。

2つ目はハラスメントの問題です。以前は一般的だった「髪型を変えた？」や「素敵なお召し物ですね」も、今は他人の容姿に言及していいのかと迷うことが増えました。多くの人が会話のきっかけを探すのが難しいと感じているのではないでしょうか。

3つ目は、組織の多様化です。たとえば、ひと昔前なら、会社勤めをしているのは男性ばかり。終身雇用制が敷かれているので、同じような経歴の人が同じ会社に勤めているというのがあたり前でした。幼稚園のお迎えに行くのは専業主婦のお母さん。同じような年代、性別、経歴の人たちが、同じような人同士ばかりとコミュニケーションをとることが多い時代でした。

しかし、今は多様な年代、性別、経歴、ルーツをもつ人たちが同じ場所で働いたり、交流をもったりする時代です。その場合、お互いの共通点を探すのが難しく、話題を見つけにくい状況です。

このような状況なら、日常会話に苦手意識をもつのは当然のこととも言えますね。

日常会話には、深い内容がなくても大丈夫

まじめな人ほど、「内容のない会話は恥ずかしい」「日常会話の場でも有意義な情報交換をしなければいけない」と思い込み、緊張してしまっているのではないでしょうか。日常会話で大切なことは、お互いにエキサイティングな気持ちになることではなくて、スマイリーな雰囲気をつくることです。会話が続くことと、相手といい関係を築きたいという気持ちが伝わることの2つが守られていれば、十分にスマイリーな場になります。そのため、日常会話には内容がなくても問題ないのです。

日常会話では内容は二の次なので、本音で話す必要もありません。たとえば、あなたは暑い夏が大好きだとしても、「暑くて嫌になりますね」と声をかけられた場合には、「そうですね」と流してしまって大丈夫です。相手の意見を否定してまであなたの本音を語らなくてもかまいません。

肩の力を抜いて日常会話を楽しめるようになれるといいですね。

01
あいさつ①

今日はいい天気ですね

日常で頻出するからこそ会話の型が決まってしまい、手詰まりになりがちなあいさつ。いい印象を残し、話題を発展させられるかえし言葉を提案します。

▶ 天気の話題にはどう答える?

とっかかりの天気の話題は、どう展開させたらいいのかわからず苦手意識をもつ人もいるのではないでしょうか。当たり障りのないあいさつだからこそ、場がなごむかえし言葉をいくつかストックして、適切に答えたいものですね。

気持ちのいい
お天気ですね

STANDARD
これだけ覚えて!

気持ちまで晴れやかになりますね

「晴れていますね」など、今の光景だけではなく、あなたの気持ちを一緒に伝えてみてはいかがでしょうか。相手と会えて気持ちまで晴れやかになったという喜びも、間接的に表現できますね。相手も気持ちよく言葉を受けとってくれるでしょう。

季節をとりあげて

OK! **夏って感じの青空ですね**

とくに言葉が思い浮かばないときは、季節を添えてみるのも手。「夏のご予定は？」など話題も広がりそう。あなたが会話のキャッチボールを楽しみたいと思っていることが、相手に伝わります。

自分の気持ちを込めて

OK! **バーベキューでもしたくなりますね**

晴天から連想してバーベキューをしたいと＋αの言葉。「遠足日和ですね」「海にでも行きたくなります」など、各季節の晴れの日にしたいことを挙げるとより楽しい雰囲気をつくれます。

共感を期待して

OK! **洗濯物がよく乾きそうです**

相手が家事をする人であれば、共感をもってもらえるかえし言葉。「お忙しそうですが、お洗濯はどうしているんですか？」など共通点が見つかれば、会話も広がるかもしれません。

春夏秋冬のお天気へのかえし言葉

春：お花見日和ですね。春眠《しゅんみん》暁《あかつき》を覚えずといった快適さです。
夏：空の色が濃いですね。海水浴にうってつけですね。
秋：紅葉が映える、美しい季節ですね。空が高い感じがします。
冬：冬晴れですね。春隣《はるとなり》と言いますが、春が待ち遠しいです。

01
あいさつ②

お元気ですか？

体調を尋ねられたら？

「お元気ですか？」「お加減はいかがですか？」など、会話のきっかけとして体調を気遣ってくれるあいさつ。考え込みすぎず、相手の負担にならない返事を選べば、いい雰囲気をつくれます。

ご体調いかがですか？
バッタリ

STANDARD
これだけ覚えて!

おかげさまで。
○○さんもお元気そうで

相手は自分のことも尋ねてほしくて、こう問いかけてくれたのかも。会話をふくらませるなら、あなたのことを伝えるだけでなく「おかげさまで」と相手を立てつつ受けとめて、相手に話をふれば、近況などを話しだすきっかけになりそうです。

より楽しく

OK!

元気で、食欲がありすぎて困っています！

元気いっぱいなことを、ユーモアを交えて返事をするのもあり。他にも「元気だから、出かけるのが楽しくて忙しい」など、具体的なエピソードを交えてのかえし言葉もいいでしょう。

丁寧に

OK!

ありがたいことに、元気ですごせています

ビジネスの場や目上の人に、ただ「元気です」と返すと、無愛想な印象を与えかねません。「ありがたいことに」や「おかげさまで」を頭につけて丁寧に伝えて、相手の気遣ってくれた優しさを受けとめます。

冗談を交えて

OK!

バカはかぜをひかないを体現しています

フランクな会話のできる相手には、こんなことわざからのかえし言葉でも。場の雰囲気がほぐれ、続く会話も楽しくできそう。ただし、自虐になりすぎると相手も困ってしまうので注意して。

言っていませんか？

NG!

はい……、ええ、まあ……

沈んだ、少しノリの悪い感じでこう言うと、体調や心に問題があるのかと心配をかけてしまいそう。相手を不安な気持ちにさせないよう、元気なときはできるだけ明るいかえし言葉を。

01
あいさつ③

最近どう？

▶近況を尋ねられたときは？

おもむろにざっくりと聞かれる「最近どう？」。律儀な人ほど深く考え込みすぎて、返事に詰まりがちですね。会話のとっかかりと思って気楽な気持ちで返事をすることが円滑に会話を進めるコツです。

STANDARD
これだけ覚えて!

まずまずです。
○○さんはいかがですか？

曖昧《あいまい》な質問には同じく質問で返すのも一手です。健康なのか仕事なのか、あるいは単なるあいさつがわりなのか、これで相手の意図やテンションをはかることができるでしょう。相手の答えに合わせて、こちらも会話を広げられます。

元気いっぱいに

OK!

とりあえず体調はばっちりです

仕事や私生活まで詮索をされたくない相手には、体調の話として簡潔に応じましょう。下手に相手を拒否するようなことを言い不愉快な気持ちにさせてしまうより、会話を切り上げるほうが無難ですね。

手短に

OK!

なんだかバタバタしています

心配されそうで具体的に慌ただしいことを伝えたくないけれど、嘘は言いたくないときに。加えて「○○さんは？　相変わらずお忙しいですか？」と問い返せば、うまく流すことができますよ。

話のタネをまいて

OK!

この時期は、○○で立て込むんですよ

仕事関係など、業務の大変さを共有できる相手なら、具体的なエピソードを交えても。仕事という共通の話題なら共感が得られて盛り上がり、スムーズに会話を続けられるかもしれません。

言っていませんか？

NG!

うーん… いまいちですね

ネガティブな本心をそのまま伝えても、相手は戸惑ってしまいそう。社交上のあいさつです。深く考え込まず、軽い気持ちで明るく「元気です」と答えるのも大人の対応。肩肘を張らずに返事を。

02
はじめまして①

休日は何をしておすごしですか？

誰しも第一印象はよくありたいものですが、初対面だと緊張して返答に詰まりがち。いくつかのかえし言葉を覚えておけば、なごやかなひとときに。

休日のすごし方を聞かれたときは？

はじめましてのシーンで、ひととおりのあいさつのあと、間を埋めようと出されがちなフレーズ。でもまだプライベートのことはあまり伝えたくなかったり、どこまでくだけた話をしてもいいのだろうと悩んだりしてしまう質問でもありますね。

お休みの日は
何をしてます？

STANDARD
これだけ覚えて！

ボーッとすごしちゃっているので、習いごとを始めたいと思っています

これからのプランを語るほうが、現状をありのまま伝えるより、会話をふくらませやすいかも。親しくなりたいなら、興味がある分野を伝えてもいいでしょう。前向きで楽しい雰囲気になりそうですね。

様子を伝えて

OK!

家でのんびりすごすことが多いですね

具体的に思い浮かばない場合は、気分や雰囲気だけを伝える方法もあります。「○○さんもインドア派ですか？」「お出かけがお好きですか？」などと続ければ、相手の会話の呼び水に。

共感を期待して

OK!

家事をまとめてやっつけています

休日にまとめて家事を行う社会人は多いので、共感を得やすいかえし言葉。家事の大変さやどんなふうに家事を行っているかを具体的に加えれば、会話が弾むきっかけになるかもしれません。

相手に話をふって

OK!

あー、何しているかな
○○さんはアクティブにおすごしでは？

とり立てて話題がない場合は、曖昧《あいまい》なまま相手に伺うのがおすすめ。相手も聞いてほしい事柄があり、こんな問いをしたのかも。趣味や興味のあることを語ってくれれば、話が広がります。

言っていませんか？

NG!

とくに何もしていませんね

相手はコミュニケーションをとりたくて話しかけているのに、それを冷たくあしらっているようにも聞こえます。せめて「これといったことはしていませんが、○○さんは？」と質問を加えて。

02
はじめまして②

私の友達に似ているよ！

知らない人の話題をふられたときは？

初対面の人にいきなりこんなことを言われました。有名人に似ているならまだリアクションのとりようもありますが、あなたの知らない人を出されてもどう反応していいのか困ってしまいますね。こんなときの機転の利いたかえし言葉は？

STANDARD
これだけ覚えて!

それはご縁がありますね

はじめましての場には、多少大げさでも縁起のいいかえし言葉をチョイスすると明るい雰囲気がつくれます。肯定的な、仲を深めようとする方向の言葉をかけられれば、相手も嫌な気はしないはず。

より楽しく

OK! **遠い親戚同士かもしれませんね**

返事に困ってしまったときには、考えすぎず軽いジョークで流す手も。あくまで冗談ですよとわかってもらえる軽妙な口調で伝えると、相手もなごやかな気分になるでしょう。

冗談を交えて

OK! **きっと美形の人なんだろうね！**

くだけた雰囲気の場なら、こんな冗談で対応するのもあり。相手の反応しだいで、「……なーんてね！」「またまたー。おだてても何も出ませんよ」など、かえし言葉をアレンジしましょう。

話題を広げて

OK! **へー！　どんな友達なの？**

その友達との思い出や馴れ初めを聞くなど、この問いかけをきっかけに話題を広げてもいいかもしれません。その返答から相手がどんな人かがわかり、会話の進め方がみえてきそう。

言っていませんか？

NG! **そんなことを言われても……**

率直すぎたりまごついてしまったりすると、相手も「困らせることを言ってしまったな」と申し訳なく思うかも。初対面の場では、お互いがなごやかに話せるよう、会話のラリーを意識したかえし言葉を心がけましょう。

02
はじめまして③

実は○○歳なんだよね

▶ 相手の年齢を告げられたときは？

これも答えにくい問いかけ。年齢を聞かれると、見た目より若い年齢を言う人が多いはず。相手から正解を言われたとき、あなたの答えが間違っていたらどんなリアクションをとれば、喜んでもらえスムーズに話題を進められるのでしょうか？

何歳に見える？
実は50歳なんだ
ムム…

STANDARD
これだけ覚えて！

そのお年に見えません。お若いですね

シンプルに相手に喜ばれることを伝える方法。「イキイキされているから」「おしゃれでいらっしゃるから」など、若く見えた理由を簡単に添えると、よりなごやかな雰囲気になりそうです。言葉を重ねすぎると相手の負担になるので軽いトーンを心がけて。

相手を持ち上げて

OK!

**はつらつとされているので
もっとお若いかと思いました**

これも相手が想定よりも年上だった場合。「元気の秘密を教えていただけますか？」と質問をつけ加えても。

予想が外れたときは

OK!

**言葉遣いが丁寧で落ち着かれているので、
もっと先輩かと思いました**

答えた年齢より年下だった場合、なぜ年上に見えたのか、マイナスに捉えられない理由を。「頼りになる」「博識」と添えても。

くつろいだ席なら

OK!

**もう～
リアクションが難しい話はやめてくださ～い**

食事や宴会の席などで、場を盛り上げようと言っている雰囲気なら、ツッコミのように返す手も。相手のキャラクターや反応をよく観察しつつ。

言っていませんか？

NG!

髪型を工夫したら、もっと若く見えそうですよ

相手はあなたにアドバイスを求めているわけではありません。余計なお世話と思われてしまいかねませんので、上から目線を感じさせる助言は不要です。関係性によっては、ハラスメントになりかねませんので要注意。

03
お誘い①

明日、空いてる?

お声がけいただくのは、好意をもたれていると感じて嬉しいですね。でも、ときには断りたい誘いも……。どんなお誘いでも好意をむげにしないかえし言葉を。

▶ 予定だけを尋ねられるお誘いには?

なんの用件か伝えず、いきなり予定が空いているかを尋ねてくる友人はいませんか? 空いていたとしても、どんな内容か知ってから返事をしたいですよね。相手を傷つけず詳細を確認するにはどんなかえし言葉がある?

STANDARD
これだけ覚えて!

それは楽しみなお誘い?

スケジュールが空いていたとしても、内容がわからなければ判断はできませんよね。「え、なんなの?」などと、ただ用件だけを聞き返すのもぶっきらぼうに聞こえるかも。友人のお誘いに期待していることを感じさせるポジティブなかえし言葉がベター。

小道具を使って

OK! **えーっと、どんな用事かな？**

スケジュール帳やスマートフォンを確認しながら、このように返すと相手の誘いを前向きに検討している雰囲気に。予定を確認しながらなら、断るときにも話をもっていきやすくなりますね。

こんなパターンも

OK! **何か約束してましたっけ？**

新しく誘われたとわかっていても、わざととぼけてみることで具体的な内容を引き出す方法も一案です。こう尋ねれば、相手も用件を教えてくれ、あなたも返事がしやすくなるでしょう。

予防線を張って

OK! **仕事が延びるかもしれないけど、どんな話？**

先手を打って予定が入るかもしれないことを伝えて、先に用件を聞く方法です。「家族との用事が入るかも」「スケジュール帳がないから予定がわからない」など、予防線の理由は臨機応変に。

言っていませんか？

NG! **先にどんな用件か伝えてくれないと返答しづらいな**

正論ですが、相手は自身の誘いを拒否されたように感じて、傷ついてしまうかもしれません。せっかく声をかけてくれたのだから、相手を否定しないかえし言葉を選んだほうが、今後の関係もうまくいきそうです。

03
お誘い②

今度、飲みに行きましょう

▶ 社交辞令か本気かわからないお誘いには？

おつき合いも長くなった仕事先の人からの食事の提案。社交辞令なのか、本当に誘っているのかはかりかねる軽い誘い方です。相手は気軽な雰囲気なものの、砕けた調子では尋ねにくい……。相手の意図を判断するかえし言葉は？

よかったら
飲みに
行きませんか？
クイッ

STANDARD
これだけ覚えて！

ぜひご一緒させてください

このかえし言葉に対し、「じゃあ落ち着いたらね」などの曖昧《あいまい》な返事で別の話題に移れば社交辞令の可能性が高く、具体的に日程やお店の希望を尋ねられたら正式なお誘いと言えますね。この返答次第で相手の真意がわかり、対応法が見えてくるでしょう。

話題を広げて

OK! **おすすめのお店があれば、ぜひそちらで**

「いいですね」と乗り気なあいづちを打ちつつも、こちらからは具体的な日時や場所に言及しないことで相手の出方を伺う方法。社交辞令だった場合も、お店の情報などから会話が広がります。

具体的に提案

OK! **いいですね。どんなお酒が好きですか？**

たとえば相手がワインを好むなら、うんちくを聞いたり、逆に「ワインの品揃えのいいイタリアンレストランを知っていますよ」と具体的に話を続けたりすれば、話題を広げられます。

感謝を伝えて

OK! **素敵なお誘いをありがとうございます**

乗り気ではない誘いや、会社の都合上接待はNGなどの都合で断ることになるとしても、相手の気遣いに感謝を示しましょう。断るにしても、最初にこの一言をクッションにするだけで、印象ががらりと変わります。

言っていませんか？

NG! **お酒が好きではないんですよ**

体質の問題でしかたがないとしても、開口一番が否定だと相手は断られた気分に。お酒が苦手なら「飲めないので、ソフトドリンクで参加してもいいですか？」と前向きな言い回しに変えましょう。

日常会話

03
お誘い③

日曜日、ランチに行かない？

週末のお誘いを断りたいときは？

ランチに誘われましたが、あなたはその知人が得意ではなく、遠慮したい気持ちでいっぱい。でも相手を傷つけたり怒らせたりしたくはありませんし、余計な摩擦も生みたくありません。穏やかに断るにはどうすればいいでしょうか？

STANDARD
これだけ覚えて!

せっかくだけど、予定があるからごめんね

理由も告げず断られては、相手も傷ついてしまいます。内容を具体的に聞かせなくても、先約があると伝えればわかってくれるはず。「せっかく」の言葉に残念な心境をにじませることで、相手を嫌な気持ちにさせることなく上手にお断りできるでしょう。

嘘も方便

OK! **その日は親族の○○(結婚式、法事など)があるんだ**

先約があるとわかれば、知人も無理強いはできません。とくに家庭の都合や冠婚葬祭の予定であればなおさら。詳しく尋ねられたとき困らないよう、具体的に言及せず次の話題へ。

これもつけ加えて！

OK! **今、ダイエット中だから外食しないことにしていて**

ただ断るより、具体的な理由を添えたほうが相手の顔も潰しません。「じゃあ、お茶にする？」と言われる可能性はありますが、ダイエットの努力を延々と語れば、真意を察してくれるかも。

アフターフォロー

OK! **誘ってくれた気持ちが嬉しいな**

誘ってくれたことそのものではなく、知人があなたに示してくれた厚意に感謝するかえし言葉です。この一言が相手の寂しく思う気持ちをやわらげ、不協和音を残さずに済むかもしれません。

言っていませんか？

NG! **行きたいけど……、予定を確認して連絡するね**

断りづらいがゆえに、曖昧《あいまい》にして返事を引き延ばすパターンです。中途半端に期待させて、相手のスケジュールを未確定のままにするのは失礼。嘘を交えてでもはっきり断るほうが、相手のためでもあります。

03
お誘い④

次の連休、バーベキューしようよ

▶ ぜひとも参加したいイベントに誘われたときは？

友人がバーベキューを企画してくれました。アウトドア好きなあなたはもちろん参加OK。期待に胸がふくらみます。企画してくれたことへの感謝やバーベキューが楽しみでしかたないことを伝えられる、喜びにあふれるかえし言葉は？

バーベキュー一緒に行こう

STANDARD
これだけ覚えて!

企画してくれてありがとう！

あたり障りのない感謝の言葉ですが、ストレートな分、友人にはダイレクトに伝わります。このかえし言葉のあと「楽しみにしているね」「何か手伝えることがあったら言ってね」などと続けると、相手はあなたを誘ってよかったと思ってくれるでしょう。

親切に

OK! **準備するものがあったら教えてね**

ただ参加するだけでなく、友人やメンバーの役に立ちたい。そんな思いを伝えることで、あなたがバーベキューを楽しみにしているだけでなく、相手を大切に感じていることも伝えられます。

期待を込めて

OK! **晴れるといいね**

あなたがいいお天気を期待している＝バーベキューを楽しみにしていることが伝わるかえし言葉です。これも会話の流れでさりげなく言えるうえに相手も同意しやすく、喜ばれそうです。

文章上なら

OK! **当日を心待ちにしています**

メールやメッセージアプリなど、文章でお返事をする場合は、感謝を伝えたあと、文末にこの一言を。あなたが楽しみにしていることがきちんと伝わって、より丁寧な印象になりますよ。

言っていませんか？

NG! **私になんでも任せてよ**

楽しみなのは伝わりますが、期待から前のめりになりすぎたかえし言葉は避けましょう。中心となって企画してくれているのは友人です。主な采配は友人に任せて、一参加者としてフォローに回れるといいですね。

03
お誘い⑤

○○さんは ゴルフしますか？

▶ 未経験のスポーツに誘われたときは？

ゴルフ未経験のあなたに、ゴルフ好きな取引先の部長からのお誘い。ゴルフにあまり興味がなく、本音はお断りしたい状況ですが、引き続き友好的な関係を続けたい相手でもあります。失望させない適切なかえし言葉は？

STANDARD
これだけ覚えて！

まだしたことがないんですよ

断るとしても、まずはワンクッション！　正直にゴルフ未経験だと伝えましょう。そのうえで相手はゴルフのどんなところが好きなのか尋ねてみれば、決してあなたが嫌いで尻込みしているのではないと印象づけられるうえに、断りやすくなります。

懐事情を明かして

OK!

金欠なので、今一歩踏みだせないんです

金銭的な理由を挙げれば、相手もそれ以上踏み込みづらいでしょう。「クラブやウェアは一式でおいくらくらいになるんですか？」など、方向性を変えつつ話題を広げられるかえし言葉です。

理由を伝えて

OK!

挑戦してみたい気持ちはあるのですが朝が弱いんです

これもゴルフをしない理由を伝えることで、誘いを避けるパターン。「朝がお強いだなんて羨ましいです」「目覚し時計は何を使っていますか？」など、ゴルフから少しずつ話題をずらしても。

話題を広げて

OK!

遠出するイメージですがどちらまで行かれるのですか？

具体的なゴルフの話題はできなくても、関連する質問をしてみましょう。相手の話を聞きたがっていると感じてもらえます。

言っていませんか？

NG!

ゴルフって私たちの世代ではしませんね

返事の前のワンクッションだとしても、暗に世代の差を指摘しているように聞こえ、否定的に捉えられてしまいかねません。「友人にもゴルフ好きは少なくて」くらいの言い回しがよさそう。

04

気遣い

お料理はお気に召しましたか？

気遣いの言葉は、コミュニケーションの潤滑剤。思いやりのこもったかえし言葉の引き出しを準備しておけば、相手ともっと親しくなれよりつき合いが楽しくなるはず。

▶ ごちそうになったときには？

おもてなしを受けた別れ際、相手から料理の感想を尋ねられました。高級なお店ではあったものの、残念ながら少し苦手な料理ばかりでした。それでも感謝を伝えたいときはどんな言葉がいい？

お食事はお気に召しましたか？

STANDARD

これだけ覚えて!

素敵な席を設けてくださいましてありがとうございました

具体的に気に入ったところを伝えられなくても、感謝の言葉があるだけで印象が大きく変わります。「ありがたい場」と表現することで、相手もほっと安心できるでしょう。具体的に料理に触れることが難しい場合にも使えるかえし言葉です。

丁寧に

OK! **結構なものをいただきました**

具体的に料理にまで言及せずに感謝の気持ちを伝える方法です。このあとに「こんないいもの、なかなか食べられません」と添えれば、あなたを招待してよかったと思ってくれるはず。

相手を褒めて

OK! **素敵なお店をご存じですね**

料理の感想を述べなくても「素敵なお店」と伝えれば、相手はあなたが満足したと納得してくれるでしょう。さらに、そんなお店を知っている素敵な人という相手を褒める気持ちも表現できるので、よりいい関係が築けそうですね。

具体的に

OK! **○○が格別でした**

相手は料理について尋ねていますので、一品でも料理について答えると喜ばれるでしょう。料理を挙げられないときは「どれもおいしくて、ひとつに絞れません」と伝える方法も。

言っていませんか？

NG! **庶民の安舌にはびっくりするものばかりで**

謙遜のつもりでも、相手は料理が舌に合わなかったと判断してしまいかねず、残念な気持ちになってしまいそう。自分を卑下しすぎると、失礼にあたりますのでポジティブな発想に切りかえて。

05

贈り物①

気に入ってくれると思ったんだ！

誕生日にクリスマス、お土産など、何歳になってもプレゼントは嬉しいもの。どんなときでも、ありがとうの気持ちを存分に詰め込んだ言葉のお返しを。

嬉しい贈り物をいただいたときは？

幼なじみから思いがけないプレゼント。長年のつき合いだけあって、あなたの好みを完璧に把握した雑貨を手渡してくれました。飛び上がるほど嬉しい！　この喜びを余すことなく伝えるにはどんなお礼の言葉を選べばいいのでしょうか？

気に入ってくれると思って買ってみたんだ！

STANDARD これだけ覚えて！

ありがとう！　本当に嬉しいな。大切にするね

友人には飾らないフレーズで、素直な気持ちを伝えるのが一番。プレゼントが嬉しかったこと、ずっと大切にしたいことをストレートに言葉にしてみて。より深く感謝の気持ちを届けたいなら、後日メールやメッセージアプリで改めてお礼をするのもいいでしょう。

親密さを伝えて

OK!

こんなに私の好みをわかってくれるのは〇〇さんだけだよ！

相手があなたの好きなものを理解していることを感謝するかえし言葉です。お互いの親密さを再確認できるフレーズです。

喜びを伝えて

OK!

私からも今度お礼させてね！

ちょっとしたプレゼントの贈り合いは、お互いに楽しい気持ちになりますね。ぜひあなたからも、相手の負担にならない程度の小さな贈り物のお返しを。あなたの喜びが目に見える形で伝わりますよ。

話題を広げて

OK!

こんなにいいもの、どこで見つけてくれたの？

近しい関係なら、こんなカジュアルなかえし言葉でもいいですね。お店を教えてくれたら「他にも私が好きなものがありそう！」「今度一緒に行こうよ」などと、次の計画のお誘いもできますね。

言っていませんか？

NG!

今年の運を使い果たしちゃったかも

せっかく嬉しい気持ちを伝えるなら、ネガティブに聞こえない言葉選びが大事です。「今年で一番幸せ」などとポジティブに言いかえれば、相手も喜んで受けとめてくれそうですね。

05
贈り物②

これ、お土産！

▶ あまり嬉しくない贈り物には？

海外旅行帰りの友人からお土産をいただきました。でもあなたの趣味ではない品……。せっかく買ってきてくれたのに「ありがとう」だけでは、相手をがっかりさせそう。うまく感謝を伝えるには、どんなかえし言葉がいいのでしょうか？

STANDARD
これだけ覚えて！

ありがとう。
珍しいものだね

珍しいものなら、お礼を伝えたあと、そのまま「珍しいね」と感想につなげてください。さらに「現地では、このお土産はポピュラーな品なの？」と話題を広げる質問をしてみては。あなたが旅に興味をもっていると感じ友人も喜んで土産話をしてくれるでしょう。

親密さを伝えて

OK!

旅先で僕のことを思い出してくれてありがとう

お土産そのものではなく、友人が旅先でもあなたのことを考えてくれたことを感謝するかえし言葉。具体的にお土産に言及せずとも、ありがとうの気持ちがより深く相手に伝わります。

ストレートに

OK!

初めて見た！

見たことがなく、新鮮だと伝えるかえし言葉。この一言だけで会話を終わらせるのではなく「どんなところで売っていたの？」などとつけ足すと、楽しい旅の思い出話を引き出せますね。

こんなパターンも

OK!

○○さんらしい素敵なチョイスだね

相手のセンスのよさに触れるかえし言葉です。「僕ならその場にいても、きっと見つけられなかったな」など、相手を褒めながら話題をふくらませる一言をつけ加えてもいいですね。

言っていませんか？

NG!

えーっ！　何これ？

海外に限らず、国内のものでもあなたがあまり知らない地域のお土産だと、見慣れないものもあるかもしれません。よくわからないからとすっとんきょうな反応はせず、丁寧にお礼を伝えられるといいですね。

05 先日のサッカーいかがでした？

贈り物③

▶ 以前いただいた贈り物には？

近所の人からサッカーの観戦チケットを譲ってもらいました。とてもいい席で、白熱した試合でしたが、応援していたチームは残念ながら敗退。後日、近所の人に感想を尋ねられたら、どう返すのがいいでしょうか？

この間のサッカー
いかがでした？

STANDARD
これだけ覚えて！

**お心遣い
ありがとうございました**

試合の感想よりも大切なのは、チケットをいただいたお礼。チケットそのものではなく相手の心遣いについて触れると、あなたが本心から感謝しているのが伝わるでしょう。そのうえで熱のこもった試合の様子など、土産話をしてください。

感想と一緒に

OK! **迫力満点で楽しかったです**

お礼と一緒に試合の感想を伝えて。相手がサッカーに詳しくなければ、「好きな選手が活躍しました」など試合の雰囲気を簡単に説明できるといいですね。

自分の思いも込めて

OK! **にぎやかなスタジアムで久しぶりに興奮しました**

応援していたチームが負けて、前向きな感想が述べられそうにないときは、楽しげな会場の雰囲気を伝えましょう。あなたが満喫したことがわかれば、相手も贈りがいを感じてくれるはず。

こんなパターンも

OK! **ありがとうございました。お礼のお土産です**

言葉だけでは感謝の気持ちが伝えきれないときは、相手の喜びそうなお土産を買ってくるのもいいでしょう。お礼の気持ちが目に見える形で手渡されると、相手も喜んでくれるはずです。

言っていませんか?

NG! **応援しているチームが負けてしまって……**

事実そうだとしても、せっかくチケットを譲ってくれた相手にわざわざ残念な思いを伝える必要はありませんよね。相手に気を遣わせないためにも、ポジティブなかえし言葉をして場をなごませましょう。

06
謝罪①

遅れてごめんね！

しかたのないことを、丁重に謝ってもらうと恐縮してしまうもの。相手の気持ちをくみとり、気に病まないでほしいことを朗らかに伝えたいですね。

▶ 遅刻のお詫びの言葉には？

電車の遅延で待ち合わせに15分遅刻してきた友人。遅れる旨はあらかじめ連絡をもらっていたものの、とても申し訳なさそうな様子。そんな友人に「気にしないで」との思いを伝え、張りつめた心をほぐすには？

STANDARD
これだけ覚えて!

メールチェックしていたから大丈夫だよ

あなたを待たせ、手持ち無沙汰な時間をすごさせてしまったことに、相手は罪悪感を覚えています。無為に待っていたのではなく、用事やウィンドーショッピングをしていたので問題はないと伝えれば、相手の気持ちも軽くなるでしょう。

言い訳の余地を

OK!

電車ってよく遅れるよね

遅刻のあるあるネタを共有し、相手を安心させるかえし言葉です。電車の遅延はよくある事態。あなたが率先して言うことで、相手も事情を理解してくれていると安心してくれるでしょう。

相手を思いやって

OK!

珍しいね。気にしないで

「珍しいね」と伝えることで、相手が普段は時間に正確な人であることはわかっていると表明できます。不可抗力の遅刻でもあるので「気にしないで」と添えると、なおいいでしょう。

明るくさっぱりと

OK!

そんなに謝られると申し訳ないよ。
はい、この話題終わり！

気の置けない友人なら、明快なかえし言葉でこの話題を終わらせてみては。笑顔でさっぱりと言えると、後味の悪さを引きずりませんよ。

言っていませんか？

NG!

もう少し早く言ってほしかったな

自責の念を抱えている相手を責めても、さらに落ち込ませて雰囲気が悪くなるだけです。せっかくこれから楽しい時間をすごすのですから、相手の気持ちが前向きになるかえし言葉をかけて。

06 謝罪②　子どもがうるさくてごめんなさい

▶ 家族についての謝罪には?

新幹線で移動中、隣の席に小さな子ども連れのご家族が。お子さんは元気いっぱいで、おしゃべりを楽しんでいます。はしゃいだ姿に微笑《ほほえ》ましく思っていたら、親御さんから恐縮しながら謝罪をされました。気にしていないと伝えるには?

子どもがうるさく
しちゃってごめんなさい

STANDARD
これだけ覚えて!

楽しそうで何よりですよ

子どもは好奇心のかたまり。大人だって初めての場所などに訪れると気分が高まるのですから、子どもにとって非日常空間である新幹線の中ならなおさらでしょう。子どもが興奮していることに理解を示し、肯定的に捉えていると伝えてください。

話題を変えて

OK!

おいくつですか？

お子さんについての質問をして、親御さんの恐縮した気持ちをやわらげる方法です。相手の答えに対して「かわいい盛りですね」といった肯定的な一言を返せば、あなたが気分を害していないことが伝わりますよ。

相手を思いやって

OK!

かわいらしいですね

お子さんを褒めることで、言外に「騒がしいと思っていない」と意思表示ができます。「新幹線って楽しいね」など、子どもに同意する言葉も添えれば親御さんも気持ちが楽になるでしょう。

ユーモラスに

OK!

子どもは元気が仕事ですから

小さな子どもが元気にはしゃぐのはある程度当然で、こちらも承知していることを伝えましょう。子どもが言うことを聞かずはらはらしている親御さんも安心してくれるでしょう。

言っていませんか？

NG!

これだけお元気だと親御さんも大変でしょう

親御さんを気遣うつもりの一言かもしれませんが、これでは「私も大変です」と嫌味のようにとられかねません。育児中の相手をねぎらうなら、前向きな言葉にかえたほうがこの場合はいいですね。

07
美容院で①

今日はお休みですか？

ゆったりとした気分に浸りたい日の美容院。そんなときたくさん話しかけられると、少し困ってしまいますね。むげにもできないなら、どう応じればいい？

▶ 美容院でしきりに話しかけられたときは？

初めての美容院。のんびりと雑誌でも読みながら静かに施術してもらいたかったのに、立て続けにしゃべりかけてくる美容師さん。美容師さんに気持ちを感じよく伝えたい場合は、どう返せばいいでしょうか？

STANDARD
これだけ覚えて！

気になる雑誌があるので、チェックさせてもらって構いませんか？

会話を避けるための読書だとしても、いきなり雑誌を開くと、会話をシャットアウトさせているように映ります。その前に一言を忘れずに。気になる雑誌があると前置きすれば、あなたがじっくりと読みたい記事が掲載されていると相手も理解してくれるでしょう。

体調を理由に

OK!

寝不足で、ぼーっとしているんです

角を立たせないためには嘘も方便。「最近仕事が忙しくて、寝ちゃったらごめんなさい」と先に断っておけば、疲れているのかなと配慮してもらえ、静かに施術をしてくれるはずです。

仕事と断って

OK!

急ぎの仕事でメールを送ってもいいですか？

仕事とプライベートが地続きになっている人も増えている今、仕事と断るのも美容室でのおしゃべりを回避する方法のひとつ。忙しい仕事の合間を縫っての来店かなと思ってもらえそうです。

こんなパターンも

OK!

音楽を聴いてもいいですか？

こう断ってからイヤホンを耳に入れれば、会話をする気分ではないのかなと受けとめてもらえますね。ワイヤレスイヤホンがおすすめです。

言っていませんか？

NG!

休みだから来たんですよ

つっけんどんな言い方は、美容師さんを不用意に落ち込ませるだけ。希望の髪型や仕上がりの確認など、施術上必要なコミュニケーションがとりづらくなります。お互いがいい関係ですごせるように、おだやかな気持ちで言葉を返しましょう。

07 美容院で②

肩がとてもこっていますね

肩こりを指摘されたときは？

ヘアカット後のマッサージで美容師さんから言われました。自覚はあるので、頭に浮かぶのは「そうですね」の一言。でもこのかえし言葉では、ここで会話が終わってしまう……。そんなときの気の利いた言葉は？

STANDARD これだけ覚えて!

最近、忙しいからかな。
今日はいい気分転換になりました

美容院での施術中に、深刻な会話はあまりしませんよね。美容師さんも会話のきっかけ程度に何気なく言った一言かもしれません。こんなときは、深く考えすぎず、思いあたる肩こりの理由を挙げるだけでOK。美容師さんに感謝の気持ちを伝えるのも忘れずに。

相手を褒めて

OK!

マッサージもプロ級ですね

あなた自身のことを伝えたくない場合、話題を美容師さんの技術に置きかえる方法です。「マッサージの勉強もされているんですか？」などと続ければ、感謝を伝えつつ話題を変えることができます。

希望を伝えて

OK!

とくに右がこっているので、
もんでいただけますか？

気遣いを受けとるのも気配りです。具体的にほぐしてほしい部分があるなら、お願いしてみましょう。マッサージが気に入ったことが伝わりますよ。

こんなパターンも

OK!

気持ちがいいです。眠くなってきました

「気持ちがいいです」と、まず施術への感謝をこめた言葉をかけて。そのうえで「眠くなってきました」と続ければ、美容師さんも自分の技術に自信をもってくれるはず。

言っていませんか？

NG!

みんなそうなんじゃ……

会話の糸口をと思って美容師さんも話しかけてくれたのでしょう。詮ないことを言ってしまうと、機嫌が悪いのかなと相手を不安にさせてしまいますね。相手に不必要な気を遣わせない一言を選んで。

07 美容院で③
あなたにぴったりの商品はいかがですか？

▶ 美容院でのセールストークには？

毎回指名している美容師さんから高価な商品のセールストーク。「いかがですか？」とおすすめしてくれますが、愛用品は決めているので、買うつもりはありません。今後も良好な関係でいたい美容師さんには、なんと断ると角が立たない？

○○さんの髪質にぴったりの
コンディショナーが
入荷しました

STANDARD
これだけ覚えて!

今、使っているのがなくなったら検討させてください

この会話を切り抜けるためのかえし言葉。検討すると言っているのでむげには断っていませんが、美容師さんには断られたと気づいてもらえるはず。もし、これ以上すすめられるようなときは、はっきりと本心を伝えましょう。

自分の思いも込めて

OK!

今使っているものが気に入っているんですよね

愛用中のものを使い続けたいと、本音をいつわらずに伝えるかえし言葉。気に入ったものを使いたい気持ちは、きっと美容師さんも理解してくれるはず。誠意ある言葉で伝えましょう。

こんなパターンも

OK!

最近まとめ買いしちゃって……

不要なことをよりわかってもらうには、具体的に説明を。「セールで安くなっていて、よくばって買ったら1年分くらい残っているんです」など、買えない理由を伝えれば美容師さんも納得。

第三者の意見を

OK!

今のコンディショナーの香り
友達からも好評なんです

きっぱり断ると美容師さんとの関係性が悪くなりそう……。もしそんな不安があるなら、第三者を言い訳に出す方法もあり。

言っていませんか？

NG!

高いですね。結構です

市販品に比べ、美容室専売品は高価なものが多いのはたしか。でも、信頼しているプロからのアドバイスでもありますね。今後いい商品と巡り合うチャンスがなくなってしまうかもしれません。これからの関係を悪くするような断り方は、避けたほうがよさそう。

08 洋服店で① | 試着しませんか？

時間潰しでアパレルショップに立ち寄り、店員さんから急に声をかけられ、困った経験はありませんか？　いくつかのかえし言葉を準備しておけば対応できますよ。

▶ 洋服店で話しかけられたときは？

仕事帰り、ふらっと立ち寄ったアパレルショップ。店員さんのセールストークが始まってしまい、見るだけのつもりが何か買わないと帰れそうもない雰囲気になってしまいました……。そんなとき、どう対処する？

こちら、お似合いですよ。
試着しませんか？

STANDARD これだけ覚えて!

お気に入りが見つかったら試着させてくださいね

　どれだけ素敵な洋服が並んでいても、すべて気に入ることはありませんし、懐事情もあります。それは店員さんもわかっているはず。そのお店は、誰にでも声をかける接客方針なのかも。なごやかにこのかえし言葉を伝えて、そっと距離を置きましょう。

苦笑しながら

OK! **似たような服、もう持っているんですよね**

「商品は決して悪くないのだけれど」と、フォローをする一言を添えて。ただし、心残りを感じさせる声音や表情を見せると、さらにすすめられるかも。塩梅《あんばい》には注意して。

こんなパターンも

OK! **あっ、予算オーバーで……**

値札を確認してから言ってください。「かわいいんですけど、手持ちがなくて」とつけ加えれば、店員さんも納得してくれるはず。うしろ髪を引かれている素振りを見せず、なごやかに引き上げて。

嘘も方便

OK! **今日はあまり時間がなくて……**

「これからすぐ待ち合わせがあるんですよ」などと、予定があるふりをする方法です。「ゆっくり時間のあるとき、また見せてください」と店員さんへのフォローの一言をつけ加えるのもOK。

言っていませんか？ NG! **全然似合いませんよ！**

この言葉の裏には「私には素敵すぎる」と謙遜《けんそん》を含んだつもりかもしれません。しかしながら、店員さんによっては自分たちの商品をけなされたと感じてしまうかも。断る場合も否定的な言葉は避け、角の立たない無難な返事を選びましょう。

08
洋服店で②

私が着ている服と色違いです

▶ 洋服店の店員さんのセールストークには？

これもアパレルのお店でのあるある。何気なく洋服を見ていたら、こんなセールストークをされたことはありませんか？　あなたは、その洋服をほしいと思ったわけではありません。返答に窮してしまったときの感じのいい対応は？

この服、今私が
着ているものと
色違いなんですよ

STANDARD
これだけ覚えて!

お似合いですね

　相手への褒め言葉を冷たく聞こえないように言ったあと、ウィンドーショッピングを続けて。あなたがその洋服を購入したいと思えるほど興味をもっていないことが伝わるでしょう。店員さんを立てる言葉があれば、雰囲気も悪くなりませんよ。

感想を伝えて

OK!

素敵な方だから似合うんですね

店員さんには似合っていても、あなたに似合うとは限りません。「私には似合わない」と率直に伝えてしまうと、よくない印象をもたれるかも。婉曲的《えんきょくてき》な言葉を選べば、角が立ちません。

具体的に尋ねて

OK!

素敵なお洋服ですが、
着る人を選びそうですね

謙虚なつもりで「着る人を選びそうですね」とだけ言ってしまっては、商品を否定しているように聞こえてしまいます。素敵な商品ですねと前置きすれば、印象もやわらかくなります。

こんなパターンも

OK!

私には少し華やかなので、
もう少し落ち着いた色はありますか？

煩わしい方法ですが、他の色を見せてもらいましょう。そのうえで、お気に入りでないことを伝えれば、嫌な気持ちにさせません。

言っていませんか？

NG!

あ、うーん……

イマイチだと思うとどうしても口ごもりがち。簡単にでも何かを伝えれば、場も凍りません。「素敵ですね」などといった簡単なものでもコメントがあるだけで、雰囲気も軽やかになります。

08 いかがでしょうか？

洋服店で③

▶ 試着室で声をかけられたときは？

洋服店での試着中、試着室の外から店員さんからの確認の声。鏡に映るのは試着した洋服が似合わないあなた。試着姿を見せて、さらに営業トークをされたら断りづらくなりますね。この事態をどんなかえし言葉で回避する？

お洋服
いかがでしょうか？

STANDARD
これだけ覚えて!

**試着したら、
思っていたのと少し違っていました**

まずは試着した洋服は脱いで、試着姿を見せないことが肝心。見ないことには店員さんも「似合う」とはすすめられませんね。そのうえで、この一言を。試着をさせてもらったお礼もあわせて伝えると、より丁寧です。相手に失礼な印象を残しません。

きっぱりと

OK!

着てみたら、どうも似合いませんでした

買いたいと思えないなら、きっぱり断るのもひとつの方法。試着した姿を店員さんに見せてしまうと、「そんなことはないですよ」と言われがちなので、自分の服に着がえてから伝えると効果的でしょう。

自分の思いも込めて

OK!

ウエストがきつくて……

フリーサイズなど、ワンサイズ展開の洋服に有効なかえし言葉。トップスの場合は「胸がきつくて」「二の腕がきつくて」、ボトムスの場合は「お尻が入らなくて」などと、応用の利くフレーズです。

ユーモラスに

OK!

手持ちの服に合わせにくそう

コーディネートが難しい洋服は、どうしてももて余しがち。店員さんもその事情は理解していることでしょう。試着姿を見せてしまったあとでも使いやすいかえし言葉です。

言っていませんか？

NG!

迷いますね……

はっきり自分の意思を伝えないと、お互いに疲れてしまいます。挙げ句、意に沿わない買い物をしてしまったり……。気が乗らないときは、思いきって自分の気持ちを伝えたほうが吉！

09
飲食店で

お口に合いましたか？

おいしく、居心地のいい飲食店はずっと通いたくなります。今後いい関係を築きたいお店のスタッフさんに声をかけてもらったら、好意が伝わるかえし言葉を。

▶ 飲食店で帰り際に声をかけられたときは？

初めて行ったレストラン。味もホスピタリティもよく、また来たいと思っていたところ、帰り際に声をかけられました。素晴らしいお店であるとあなたの本心をさりげなく伝えるには、どんなかえし言葉があるでしょうか？

お食事はお口に合いましたか？

STANDARD
これだけ覚えて!

次は家族の記念日に利用させてください

「素敵なお店で気に入りました」とストレートに伝えるのもいいですが、もう一歩踏み込み「次も来たい」と具体的な意思表示を。さらに、大切な日に大切な人と、とつけ加えればさらに好印象です。店員さんもこれからの励みにしてくれるかもしれませんよ。

最低限、これだけは

OK!

またお邪魔させてください

具体的な話に入る前のワンクッションにも使えるかえし言葉です。お店にとってリピーターは何よりも嬉しいものです。この一言だけでも相手にお店が気に入ったことが伝わるでしょう。

具体的に

OK!

あの料理の味つけが最高でした

相手はプロ。食材の産地や調理方法、調味料の使い方など、料理のうんちくを持ち出して褒めるよりも、拙《つたな》くても自分の言葉で正直な感想を伝えたほうが響きますし、喜ばれますよ。

こんなパターンも

OK!

お肉が好きで、
次回おすすめのお料理はありますか？

次の来店を示唆するかえし言葉。次回来店時はおすすめの肉料理を注文し、「前回伺った際におすすめされたので」と添えて。

言っていませんか？

NG!

今度はもっとおいしい料理を期待しています

期待を込めてそう言ったとしても、相手は今回の料理が口に合わなかったのかもしれない、と気をもんでしまいます。「あの料理は次も注文します」「またおいしいお料理を楽しみにしています」くらいにとどめておいたほうがいいでしょう。

10
訪問営業

ご契約は
いかがでしょうか？

急にやってくる訪問販売や勧誘。そういった営業を受けるつもりはないと、早く切り上げたいですよね。あなたの気持ちを手短に、おだやかに伝えてみませんか。

訪問営業など対応は？

インターホン越しに勧誘を受けました。購入する気はまったくありませんが、相手はいろいろな特典がついてくると、矢継ぎ早にセールストークを続けます。どんなかえし言葉なら一言で断ることができるのでしょうか？

新聞のご契約は
いかがでしょうか？
んー

STANDARD
これだけ覚えて！

間に合っています

一筋縄ではいかない訪問営業にはぐったりしてしまいますね。そんなときには、アプローチをしても脈がない家庭だと理解してもらうことが肝心です。きっぱりと断り、購読の意思がないことを伝えましょう。

手短に

OK! **今、手が離せないんです**

きっぱりと断りづらいなら忙しいことを理由に、諦めてもらいましょう。忙しいあなたに強くは出られず、脈なしと判断するはず。「揚げ物をしていて」「電話中です」と詳しい理由をつけても。

嘘も方便

OK! **身内が○○（ライバル会社）で働いているんです**

頑固な相手なら、嘘も方便と心得て。一例ですが、勧誘してきた会社と競合他社の名前を出し、そこで働いていると伝えます。近しい人がライバル会社で働いている相手に営業しても、可能性はないと判断して、きっとすぐに引き上げてくれるでしょう。

こんなパターンも

OK! **家族に相談してから決めます**

あなたが家計を握っていないなら、独断では決められませんね。それを素直に伝えてください。もしまた営業の訪問がある場合には、「家族が不要と言っていて」と言うと諦めてもらえそう。

言っていませんか？

NG! **今は結構です**

断定を避けたい気持ちはわかりますが、「今は」をつけてしまうと、相手は可能性がある家庭と判断し、営業トークが長引いたり、また訪問したりするかもしれません。しっかり断りましょう。

COLUMN 01

日常会話を盛り上げるかどうかはあいづち次第！

楽しく日常会話をしたいのに、自分から提供できる話題がないのが悩み……。そんなときは、相手に気持ちよく話してもらうとなごやかな会話が続きます。

ポイントはあいづちの打ち方。

あなたが話しているときも、興味深そうにあいづちを打ってもらえると、自然といつもより熱を込めた口調になっているのではないでしょうか。

あいづちひとつで、弾んだり沈んだり会話が変化するのです。

あいづちの定番「さしすせそ」を覚えておきましょう。「さ＝さすがですね・最高です」「し＝知りませんでした」「す＝すごいですね・素敵です・すばらしい」「せ＝センスがいい」「そ＝そうなんですか」のフレーズです。

相手からの会話をより深く引き出したいときは、「と、言いますと？」や「詳しく聞かせてください！」と、あなたが関心をもっていることがわかるあいづちを。「そのとき、何が大変でした？」と苦労話を尋ねるのも有効ですよ。

逆に避けたいのは「でも」「だって」「嘘!?」といった、否定的なあいづち。否定されたような気持ちになって、あまりしゃべりたくないなと思われてしまいそうです。

2章

嬉しいときのかえし言葉

2章

嬉しいときのかえし言葉おさえどころ

嬉しいときこそ素直に喜んで

褒められると嬉しくなる半面、どんなリアクションをとればいいのだろうと悩んでしまいがち。照れてしまって「そんな、私なんて」と妙に謙遜《けんそん》してしまうことも。謙遜は美徳かもしれませんが、度がすぎて卑下になってしまうと本末転倒。相手は心から褒めてくれているのに、こちらがそれを否定してしまうとお世辞を言ったような雰囲気におちいってしまいます。褒める気持ちは言葉のプレゼント。きちんと受けとって、素敵な言葉を贈り返したいものです。

では、褒められたときどのような言葉を返せば、よりよい関係をつくれるのでしょうか？　自慢しているとも、卑下をしているとも受けとられない方法はあるのでしょうか？

まわりを立てることは喜びのお裾分け

コツは、①漏れ出る嬉しい気持ちを飾らずに伝えること、②まわりを立てることの２つです。

①は、率直に気持ちを相手に見せることで、褒め言葉のお返しにする方法です。

たとえば、2004年のアテネオリンピックで、競泳の北島康介さんが叫んだ「超気持ちいい！」の言葉。その素直に喜びを表す姿に、嬉しいなと思った人も多いのではないでしょうか？

嬉しい気持ちを気どらない語り口で表現すると、リアリティがあり、心を開いてもらえたようで相手も嬉しくなるもの。あなたが喜んでいる姿こそ、褒め言葉への最高の返事になるのです。

②は、「おかげさまで」のフレーズに代表されるように、周囲への感謝を言葉にする方法です。

「褒めてもらえるような結果を出せたのも、まわりの人たちやあなたのおかげです」とありがとうの気持ちをお返しできますね。褒めてくれた相手へ喜びのおすそ分けにもなるテクニック。「〇〇さんに褒められると嬉しいですね」と言うことでも、お礼を伝えることができます。得意になっているわけではありませんよと示すこともできるので、目上の人へも使いやすい方法です。

それでも、謙遜の気持ちを示したいときは「ここは謙遜すべきなのかもしれませんが」と、喜びを表す前にクッションとなる一言を添えましょう。最後に「これもみなさんのおかげです」と周囲へのお礼を伝えられるとより丁寧です。

丁寧に受けとりたいからと「望外の喜びに感謝申し上げます」などと日常の場で格式張った言い方をしてしまうと、本音を隠しているように聞こえて、社交辞礼として受け流されたのかなと捉えられてしまいかねません。やはり率直な言葉を使うのが、嬉しいときのベストな選択と言えそうですね。

01
お祝い①

お誕生日おめでとう！

昇進、転職、結婚などを祝ってもらったのに、語彙が乏しく、うまく感謝の気持ちが伝わらなかったことはありませんか？　喜びのおすそ分けができる言葉を。

▶ 誕生日を祝ってもらったら？

年に一度の誕生日。せっかくお祝いしてくれているのに、毎年「ありがとう」だけで会話を終わらせてはいませんか？　相手に祝ってよかったと思ってもらえ、幸せな会話のラリーが続く、かえし言葉を伝えてみましょう。

お誕生日おめでとうございます！

STANDARD
これだけ覚えて！

覚えていてくれて感激です！

自分に置きかえて考えてみると、誕生日を覚えて、お祝いまでしたくなるのは、本当に親しい大切な人ではありませんか？祝ってくれる相手にとって、あなたはかけがいのない人のはず。そんな感謝の気持ちを素直に届けてください。

改まったときに

OK!

これからも精進してまいります

仕事関係や目上の人へ返したいフレーズです。「ありがとうございます」とお礼をしたうえで、このかえし言葉を続けてください。あなたのまじめな一面を伝えることもできます。

感謝を伝えて

OK!

いつも支えてくれてありがとう

誕生日を祝ってくれるということは、日頃から親しくしている相手でしょう。気の置けない相手なら、日々の感謝を素直なかえし言葉にしましょう。相手も嬉しくなるはずです。

こんなパターンも

OK!

こうして祝ってもらえるなら
年齢を重ねるのも悪くないかも

旧知の間柄なら、少し砕けた表現でもOK。年齢を重ねる＝相手とのつき合いの長さも伝わるかえし言葉で喜びを表現しましょう。

言っていませんか？

NG!

全然おめでたくないよ〜

年齢を重ねたくない人の場合、本心はそのとおりかもしれませんが、それをそのまま言っては場が盛り下がるだけです。せっかく誕生日を祝ってくれているのだから、相手が「お祝いしてよかった」と思えるポジティブなかえし言葉を選びたいものですね。

01
お祝い②

結婚祝いをどうぞ！

▶ 結婚祝いの贈り物をいただいたときは？

結婚を報告すると、後日同僚たちからお祝いのプレゼントをいただきました。贈り物はもちろん、みんなからの気持ちが嬉しく「ありがとう」だけでは足りません。どんなかえし言葉なら、この喜びを伝えきれるでしょうか？

営業部のみんなから
結婚祝いです！

STANDARD
これだけ覚えて!

祝ってもらえて幸せ者です

プレゼントはもとより、みんなの気持ちが嬉しいことを強調するかえし言葉です。結婚のお祝いに限らず、プロジェクトが成功したときなど、職場で何かと役立つフレーズなので、覚えていて損はありませんよ。

感想と一緒に

OK! **いい記念になるものを選んでいただいて嬉しいです**

みんながお金を集めて選んでくれたプレゼントです。時間や手間をかけて贈ってくれた相手の心配りに感謝するこんなかえし言葉なら、喜んでいることが伝わり、相手も満足してくれるはず。

具体的に

OK! **パートナーにも自慢させてください**

いい仲間に恵まれている、結構なプレゼントをいただいた、ふたつの意図が伝わる便利なフレーズです。「さっそく使います」などプレゼントをすぐに活躍させたいと添えると、一層効果的。

ユーモラスに

OK! **家宝にします！**

親しい同僚ばかりからのお祝いの品なら、もう少しユーモアを加えてみんなとの会話を楽しみましょう。少し大げさな表現でも茶目っ気を交えて伝えれば、場もなごんで朗らかな雰囲気になりますよ。

言っていませんか？

NG! **これ、あそこのブランドのものですよね**

いただいた贈り物を詳《つまび》らかにしたところで、そこから会話が発展できなければ、あなたの知識をひけらかしているだけで終わります。場がしらける言葉は避けて、素直な喜びを表せるといいですね。

01

お祝い③

転職おめでとう

転職を祝ってもらったときは?

転職に成功し、円満に退社することが決まりました。会社に残るメンバーがあなたのために送別会を開催し、ねぎらってくれました。みんなにこれまでの感謝の気持ちがしっかり伝えられるのは、どんなかえし言葉でしょうか?

ご転職おめでとうございます

STANDARD

これだけ覚えて!

ここで学んだことは自分にとってかけがえのない財産です

今の会社で働くことで成長して視野が広がり、挑戦したくなったから転職を決意したのでしょう。だからこそ現在の会社が育ててくれたことへ、お礼を言いたくなりますね。会社へのありがとうの気持ちは、一緒に働いた同僚たちへの感謝としても伝わりますよ。

最低限、これだけは

OK!

この経験を糧にして新天地でもがんばります

数多くの経験ができたのは、会社やまわりの人たちのおかげです。たとえ違う業種や職種に転職するとしても、その経験を活かしたいことを伝えると相手も気持ちよく送り出せるでしょう。

感想と一緒に

OK!

充実した毎日をすごせたのは
みなさんのおかげです

これからの話ばかりでなく、在社時の感謝をみんなに伝えましょう。そこから思い出話に花が咲いて、会話も盛り上がり、素敵な送別会となりそうです。

自分の思いも込めて

OK!

会社は変わりますが、
これからも仲よくしてください

転職しても縁が切れるわけではなく、今後も助け合うこともあるでしょう。いつまでもみんなの仲間でいたいことを伝えて。

言っていませんか？

NG!

やっと解放されます！

あなたにとっては在籍していた、過去のことになる会社かもしれませんが、同僚たちはまだそこで働きます。冗談半分でも今の会社をあなどるような言葉はNG。同僚たちを不快にさせてしまいます。

02

称賛①

さすが！

褒めてもらったときに、過剰に卑下をしては相手も困惑します。謙遜《けんそん》しすぎず、お礼を返せばよりいい雰囲気になりますよ。

▶ 曖昧《あいまい》に褒められたときは？

称賛を端的に表す「さすが！」。多用されがちな褒め言葉ではありますが、この一言だけ投げかけられても、「ありがとう」以外にどんな返事をすればいいのか困ってしまいますよね。こんなシーンにぴったりのかえし言葉をお届けします。

STANDARD

これだけ覚えて！

褒めてもらえると嬉しいね

褒められて気分を害する人はあまりいませんよね。それが曖昧な称賛だったとしても、嬉しさは変わらないはず。それを素直に認めるかえし言葉です。にっこり笑って伝えれば、相手も思いが通じたと嬉しい気分になるでしょう。

喜びを表して

OK!

○○さんに認めてもらえるなんて光栄です！

目上の人に褒められたなら、嬉しいとストレートに表現せず「光栄」と丁寧に言いかえたいですね。「○○さんに認めてもらえて」と相手の名前を出すと、相手を尊敬していることが伝わるでしょう。

相手も持ち上げて

OK!

○○さんもすごい！

褒めてくれたら、あなたも褒め返す。場の雰囲気も温まる褒めの応酬は、双方をハッピーにさせる方法です。「すごい」「素敵」「センス抜群」など、褒めのバリエーションを覚えておくと便利です。

冗談を交えて

OK!

やっぱり？

友人に褒められるのは、ちょっと照れくさい人もいるかもしれません。そんなときはユーモアたっぷりに返しても楽しいですね。軽い調子で受け答えをすれば、テンポよく会話が進むでしょう。

言っていませんか？

NG!

いやいや何が？　具体的に教えてよ

あいづちくらいの気持ちで相手が言ったことに対し、深く突っ込むのは野暮。雰囲気も悪くなってしまうかも。こんな場面ではまじめに受けとりすぎず、軽く流せる程度のかえし言葉を選ぶほうがいいでしょう。カジュアルな会話で楽しいひとときになりそうです。

02
称賛②

あなたの育て方がいいんでしょうね

▶ 義父母から子どもを褒められたら?

義母があなたの子ども、義母にとっての孫と、あなたの育児を褒めてくれました。感謝に加えて、どんな言葉を添えると、義母と一層良好な関係を築けるのでしょうか？

あなたの育て方の賜物でしょうね

STANDARD
これだけ覚えて!

ありがとうございます。夫もかわいがってくれているからだと思います

「お義母さんが夫をしっかりと育てられたからですね」などの直接な表現では、おもねりすぎと捉えられるかもしれませんね。適度な距離感を保ちつつ、義母の育てた夫が立派に子育てをしていることを伝えるかえし言葉が自然です。

相手をもち上げて

OK!

夫の小さい頃に似ていると言われますが、本当ですか？

周囲の人からの夫についてのいい情報をそれとなく報告すれば、義母は自身が評価されていると嬉しく感じるかもしれません。わざとらしくならないよう、さりげなく伝えるのがコツです。

自分の思いも込めて

OK!

お義母さんに褒められると嬉しいです！

ストレートに喜びを表現しているかえし言葉ですが、こう言われて嫌な気分になる相手はいないでしょう。どんな褒め言葉にも使いやすいオールマイティなフレーズなので覚えておくと便利です。

こんなパターンも

OK!

お義母さんが大好きだから、お義母さんの前ではいい子になるみたいです

孫が自分を好いていてくれることは、義母にとって何よりの幸せ。相手が喜ぶ言葉を積極的に伝えれば、関係もより円滑に。

言っていませんか？

NG!

そんなことないです。もうワンパク盛りで

褒められると日本人が無意識にやりがちな謙遜《けんそん》。でもそれは義母の孫をけなすことでもあります。子どもの耳に入ったら自己肯定感も下げかねませんので、称賛は素直に受けとりましょう。

嬉しいとき

02
称賛③

今日の髪型、素敵！

▶ 髪型や服装を褒められたときは？

服装や髪型など、センスを褒められるのはこそばゆいけれど、嬉しいもの。でも「ありがとう」の一言だけだと、そっけなくなりそう……。自分をもち上げすぎず、相手へのお礼の気持ちも伝わるかえし言葉はどんなものでしょうか？

今日の髪型とってもいいね
くるっ

STANDARD
これだけ覚えて！

おしゃれな〇〇さんに褒めてもらえて嬉しい

こんな場面で謙遜《けんそん》しすぎるのはNG。照れくさくても褒められて嬉しい気持ちを素直に伝えましょう。そのうえでさりげなく相手の長所も称賛して。相手も嬉しくなり、関係性もよりよくなります。

相手を褒めて

OK!

○○さんのバッグも素敵ですね

相手を褒め返す方法もあります。ただし、本人の努力で変えることの難しい体形や顔立ちといった容姿ではなく、相手のセンスのよさを褒めることが大切ですね。相手の持ちものや服装を褒めましょう。

エピソードを添えて

OK!

美容室に行ったばかりなんです

素直に喜びを表現するのが苦手な人は、こんなフレーズはいかがでしょう。美容師さんの手柄にすることで、あなたがうぬぼれているようには受けとられません。

素直な気持ちで

OK!

似合うか不安だったのでよかった！

新しい髪型に挑戦するのはワクワクする半面、似合っているかどうかと不安もありますよね。安心したと素直に伝えれば、あなたの憂いを払拭できて、相手もよかったと思うはず。

言っていませんか？

NG!

ブサイクなので髪だけでも

うぬぼれていると思われたくないあまり、自分を卑下してはせっかく褒めてくれた相手も気分がよくありません。謙遜のつもりでも、自虐を言われると相手も反応に困るので気をつけましょう。

02 本当に頼りになりますね

称賛④

気遣いを褒められたときは?

義父母は近所でふたり暮らし。義父は週に3日ほどデイサービスに通っており、その送り迎えはあなたが担当しています。そんなあなたに、義父が突然優しい声がけをしてくれてびっくり！　こんなときに使いやすいかえし言葉は?

とても頼りになってたすかっています

STANDARD

これだけ覚えて!

いつも頼ってくださって嬉しいです

頼られるのは信頼されている証しですから、嬉しく感じますよね。そんなときは素直に喜びを表現してもいいでしょう。お互いを認め合う会話を重ねていくことで、義父との関係がもっとよくなりそうですね。

気持ちを伝えて

OK!

お気遣いくださってありがとうございます

褒めてもらえたのは、相手が普段からあなたのことを気にかけてくれているから。まずはその気持ちに対する感謝の一言を伝えて。次の言葉の前のワンクッションにもなり、丁寧な印象に。

相手を褒めて

OK!

尊敬するお義父さんに言われると照れてしまいますね

相手を褒め返すかえし言葉です。「いつも家族のことを気にかけてくださって、ありがとうございます」と普段のお礼を伝えるいい機会にもなりますね。

話題を広げて

OK!

お話ができるので、いい時間になっています

相手の手伝いをしている時間が、自分にとっても有意義なものであることを伝えるかえし言葉です。この一言で、義父もより気持ちを開いてくれるようになりそう。

言っていませんか？

NG!

もっとお役に立てるようがんばります

相手の期待に応えたいという気持ちから安請け合いしてしまうと、自分の首をしめてしまいそう。できる範囲で手伝うことを伝えられる、がんばりすぎないかえし言葉のほうがいいでしょう。

03 感謝① こんなにおいしいケーキ初めて！

「ありがとう」は人間関係の潤滑油とも言われます。素敵な「どういたしまして」を覚えておくと、相手がさしてくれた潤滑油の効果がもっと発揮されそうです。

▶プレゼントを褒めてもらったら？

手づくりのケーキを持参して、友人の家に遊びに行ったあなた。ケーキを食べた友人は「お店のケーキよりおいしい！　最高！」と大絶賛。最大限の称賛を送ってくれた友人に、それに見合う言葉で返礼がしたい！

こんなおいしいケーキ
初めて食べたよ！

STANDARD これだけ覚えて！

お口に合ってよかった！

手づくり料理は相手の口に合うかどうか、押しつけがましくないか、不安なもの。友人が褒めてくれて、ホッと一安心といったところではないでしょうか。あなたの本音を「ありがとう」に続けるだけで感謝の思いが、より強く伝わりますよ。

改まった雰囲気に

OK!

お粗末さまでした

ママ友など少し距離のある相手には、感情を出しすぎず、少し改まった表現が無難。目上の人へ伝えるときも「お粗末さまでした」がベターです。

喜びを伝えて

OK!

つくったかいがあったよ

親しい間柄なら、謙遜《けんそん》したり、感謝の言葉を尽くしたりするより、つくってよかったという気持ちを。あなたの喜びが伝わります。

言っていませんか？

NG!

そんなそんな、適当につくったものだよ

謙遜だとしても「適当につくったもの」と言われて友人は嬉しいでしょうか？　素直に「ありがとう」と言えるほうが素敵ですね。謙遜する場合、「簡単なレシピだよ」くらいにとどめておきましょう。

どういたしましての言いかえ方

感謝されたときの定番は「どういたしまして」と思われていますが、恩着せがましいようにも聞こえる言葉です。目上の人には「恐縮です」、喜びを示すときには「お役に立てて嬉しいです」、次につなげるなら「お手伝いできることがあれば、またどうぞ」などTPOに合わせて使い分けができるといいですね。

03
感謝②

お父さん いつもありがとう

▶ 子どもから日頃の感謝を示してもらったら?

父の日に、小学生になったばかりの子どもがあなたの似顔絵を描いて感謝してくれました。喜んでいることが子どもにも理解しやすく、自信や積極性を伸ばせる言葉がけは?

いつもありがとう
にがおえのプレゼント!

STANDARD
これだけ覚えて!

「ありがとう」って言ってもらえると お父さんもがんばれるよ

「ありがとう」と言われると、誰かの勇気や力になると伝えるかえし言葉です。子どもも嬉しく思い、感謝することの大切さをもっと理解してくれて、また一歩大きな成長へとつながりそう。あたたかな気持ちを伝えてください。

こんなパターンも

OK!

しっかり感謝を伝えられるなんて立派だね

人に「ありがとう」の気持ちを伝えられるようになったのは嬉しい成長の証しですね。そんなたしかな子どもの成長を見逃さずに褒めましょう。感謝の気持ちを忘れずに育ちそうですね。

家族みんなで

OK!

お母さんにも見せていいかな

もっと喜ばしい気持ちを伝えたいなら、他の家族も巻き込んでみましょう。和《わ》気《き》藹々《あいあい》と母親も一緒になって褒めてくれれば、子どもは一層幸せで、誇らしい気持ちになりそうです。

過程を尋ねて

OK!

どうやって描いてくれたの？

似顔絵を描いた過程を尋ねると、子どもは一生懸命説明してくれるでしょう。その解説にしっかり耳を傾けて、がんばって描いてくれたこと、絵で気に入ったポイントなどを褒めてください。

言っていませんか？

NG!

男の子なのに細かく描けていてすごいね

男の子は大胆で、女の子は繊細。そんなステレオタイプの性別の押しつけやイメージは捨てて。「細かく丁寧に描けて、○○ちゃんはすごいね。嬉しいよ」と、子ども個人を純粋に褒めて。

COLUMN 02

褒め言葉を素直に受けとりにくいときには？

褒められることに疑心暗鬼になってしまうことはありませんか？　もしかして、けなす意味が裏にあるのかも。嫌味で言われてしまったのかも。そう不安に思った経験は多くの人にあるでしょう。ただ、そんなことを深読みをする必要はありません。

もし仮に嫌味が込められていたとしても、あなたが悪いのではありませんね。相手の悪意こそが問題です。悪意のある人の評価は気にしないふりをして、言葉を返すのがベターです。

まずは鈍感なふりをして「ありがとう」とにこやかに受けとめましょう。余裕をみせることで、あなたの器の大きさを示すことができます。すると相手も嫌味を言ってしまったことに後ろめたさを感じて、以降の悪意のこもった褒め方を改めてくれそう。

ほかにも、「そうだね」と受けとめて軽く流してしまうのも、処世術のひとつです。

相手が真摯に褒めてくれたのに、照れて素直に受けとるのが難しいときには、理由となるエピソードを伝えると気負いも軽くなりますよ。たとえば、「言葉遣いがきれいですね」と褒められたら、「学生時代の塾講師のアルバイトで、きちんと話すように心がけていたからかな」と、内情を打ち明けるといった具合です。会話も広がって楽しいひとときになりそうですね。

3章

困ることのかえし言葉

3章

困ることのかえし言葉おさえどころ

反りの合わない相手には「アサーション」で

SNSやネットニュースのコメント欄など、インターネットの世界では、炎上すると、非難や誹謗中傷の言葉がしばしば集まってきます。どうしてそんな事態になってしまうのでしょうか。

それは防衛本能によるものです。

自分のコンプレックスを刺激される書き込みを見つけると、誰しも傷つきます。そして、その書き込みから必要以上に相手に悪意があると受けとり、傷ついた自分を守るための防衛本能が過剰に働いて、不要に相手を貶《おとし》めてしまうのです。

そういった理由で、インターネットでは心ない書き込みがたくさん見られるのかもしれません。

もし、自分が傷つく言葉を投げかけられたとしても、人柄を知っている知人や友人からなら、少し疲れているのかな、嫌なことでもあったのかなと想像力が働いて、悪口で返すことはあまりありませんね。しかし、顔の見えない相手だと相手の事情をくみにくく、つい攻撃的になりがちです。

では、どうすれば攻撃的にならずに自分の意見を伝えることができるのでしょうか。

そんな悩みを解決するスキルが「アサーション」です。アサーションとは、相手の意見を尊重しながらも、自分の意見をきちんと伝えるコミュニケーションスキルのことです。

相手から困ることを言われて動揺してしまう自分の気持ちを受け入れつつも、相手には相手の考えや事情があっての発言なのだろうと想像することで、相手と自分との間に線を引いてどちらも大切にする方法です。

インターネットの世界に限らず、自分と反りが合わないなと感じる人もいるでしょう。家族や仕事関係の人で、関係を断つのが難しい相手から、嫌なことを言われてもやもやをため込んではいませんか？　そんなときにもアサーションのスキルは役立ちます。

困ったことを言われたとき、「そんなことは言うべきではない」と相手を主語として伝えるのではなく、「そう言われると悲しいな」と自分を主語とすることで、相手の意見と自分の意見を分け、両方を尊重する言い方をするとよりおだやかです。

定型句で乗り切る方法も

それでも困ることを言われたときは、より丁寧な定型句で受け流してしまいましょう。「貴重なご意見を賜りありがとうございました」などとあえて丁寧すぎるほどの言葉で伝えることで、相手と一線を引き、距離を置くことができます。

慇懃《いんぎん》無礼と思われるかもしれませんが、声を荒らげるよりはいいですね。トラブルにもなりにくい大人の対応です。

01
強引な親切①

手伝うから なんでも言って！

どんな善意でもこちらの意思を無視したものだと、ありがた迷惑ですよね。どんなかえし言葉なら関係を壊さずに、上手に断ることができるのでしょうか？

親切を断りたいときは？

悪い人ではないけれど、ちょっとおせっかいで詮索好きな義母。何かと手伝うと声がけしてくれますが、あなたとしてはあまり家庭に立ち入ってほしくありません。機嫌を損ねず、申し出を断りたい場合にはなんと言う？

STANDARD
これだけ覚えて！

お気持ちありがとうございます

　ただ断るだけでは、義母も厚意を否定されたと感じます。断る前に、まずこの一言をつけるだけで義母のあなたへの印象が大きく変わるでしょう。「ありがとう」と感謝し、義母の気持ちもくみとっているので、断りの言葉も伝えやすいでしょう。

譲歩して

OK!

本当に困ったときにお願いしてもかまいませんか？

いくら善意はむげにできないとはいえ、困っていないなら無理に手伝ってもらう必要はありませんね。今は余裕があることをきちんと伝えることで、義母を安心させて断るかえし言葉です。

自分の状態を伝えて

OK!

ひとりでもがんばれそうなので、大丈夫です！

手伝ってもらうほど困っていないパターンのときに。断るときはできるだけポジティブな雰囲気を醸し出して。心配させる余地がないほど元気よく伝えれば、義母も納得しやすいでしょう。

手短に

OK!

ありがとうございます。
でもまずは自分でやってみたいので

率直に思いを伝えたいときは、まずは義母の申し出に感謝の言葉を述べましょう。ワンクッションを置けるので、しこりも残らないはずです。そのうえで、あなたの意欲を伝えてください。

言っていませんか？

NG!

逆に気を遣ってしまうので、困ります

あなたが困っているのはたしかですが、それを率直に伝えると相手はただ拒否されたと感じます。相手によっては、今後の関係がぎくしゃくするかも。もっとやわらかな言葉で断ってください。

01 強引な親切②

パクチー食べない人生なんて損だよ！

▶ 強いおすすめを受けたときは？

なんでも大げさに表現する友人。放っておいてほしいのに、友人は何かにハマるたび、こんな一方的なおすすめをします。しかもあなたは、友人がすすめてくるものが少し苦手。あなたが困っていることを相手にわかってもらうには？

パクチー食べないなんて人生損してるよ！
ヘッ

STANDARD
これだけ覚えて！

そうなの？
今度挑戦してみるよ

頭ごなしに拒否しても相手はただの食わず嫌いと思って、もっと強くすすめてくるかも。まずは「そうなの？」とワンクッションを置いてみましょう。そのあと「挑戦してみようかな」と相手の気持ちをくみとれば、険悪な雰囲気にはならないでしょう。

自分の思いも込めて

OK! **パクチー食べない人生でも満足しているよ**

相手が押しつけるような発言をしたとしても、強く否定しては波風を立たせるだけ。今後、この話題を遠慮してもらえるよう断るのであれば、努めてやわらかい口調を心がけましょう。

より楽しく

OK! **パクチーのどんなところが好きなの？**

友人は、あなたにすすめるのではなくパクチーのよさを語りたいだけなのかも。そうであれば、話題を引き出して思う存分話してもらい、満足してもらう方向にシフトしましょう。

こんなパターンも

OK! **ふうん。**
それより今日の服、とっても似合ってるね

パクチーの話を何度も繰り返されるときは、関係ない返事で煙に巻く方法も。褒め言葉を選べば相手も嫌な気持ちになりにくいでしょう。ただし、話の腰を折るかえし言葉なので、乱用は控えて。

言っていませんか？

NG! **押しつけがましいのは嫌だな**

あなたが断りたいのはパクチーを食べることであって、友人を否定したいわけではないはず。非があるように聞こえる言葉は相手を傷つけてしまうかもしれません。使わないようにしましょう。

01
強引な親切③

株始めなよ！

不本意な勧誘を受けたときは？

株を始め、利益が出ている友人は最近周囲に株をすすめています。あなたは株にあまり興味がないので戸惑うばかり。情熱をもってすすめる友人に、どんな対応が正解でしょうか？

あなたのためを思って
言うけど、株始めなって！
イマじゃない？
ハア

STANDARD
これだけ覚えて！

**もうかるんだね！
自分もちょっと考えてみるね**

　相手は株で利益が出ていて、とても楽しんでいるのかもしれません。その楽しい気持ちをあなたに伝えたいのではないでしょうか？　気持ちをまず受けとめて、相手の気持ちを尊重しましょう。そうすれば友人も強くすすめはしないはずです。

第三者の意見を

OK!

まずは家族と相談かな

家族がいれば、まとまった金額を動かすときには相談が必要ですよね。より具体的に「夫（妻）とも話し合わないといけないし」と言いかえれば、友人も納得してくれるでしょう。

自分の思いも込めて

OK!

ご指南ありがとう。
でも私はあまり向いていなさそうで

自分には向いていないことを理由に断るかえし言葉です。最初にお礼を伝えることで、相手のおすすめしたい気持ちを受けとめることができます。

話題を広げて

OK!

すごいね！　もうけたお金はどうしているの？

これ以上の押しつけを避けたいのであれば、話題をずらすかえし言葉がおすすめ。「海外旅行も行けそうだね」「老後も安泰だね」など、相手主体の話題をふくらますこともできますね。

言っていませんか？

NG!

投資しないといけないほど、お金に困ってないなあ

こんなかえし言葉をすると、相手がお金に苦労しているように響き、嫌な気持ちになってしまいますね。断る場合も、相手を否定するような言い回しは避けて、朗らかに答えるよう意識して。

02 断りたい依頼①

いい人いたら紹介してくれない？

職場や家庭で、いろいろな頼まれごとをされることもあるでしょう。でもなかには、受けたくないお願いも……。そんなとき、角の立たないかえし言葉は？

▶ 人の紹介を求められたときは？

最近、恋人と別れた友人からの依頼。別れた原因は彼女にもあるようで、自分の知り合いはあまり紹介したくない……。やんわりと断るかえし言葉はどんなものがある？

いい人いたら
紹介してほしいな
ねー
ねー

STANDARD

これだけ覚えて！

社交的なんだから私の紹介なしにすぐみつかるよ

友人のいい部分を褒めて、うまくいくよと背中を押すかえし言葉です。さらに「明るい」「おしゃれ」「話し上手」など、美点をどんどん示して。そうすれば友人も自信をもって前向きな気持ちで、自力での恋人探しを始められるはず。

対案と一緒に

OK!

マッチングアプリやったほうが手っとり早いよ

今は、人脈に頼らなくても人とのつながりをつくれるサービスがたくさんありますね。それらをすすめて、「運命の出会いがあるかもよ」などとつけ加えれば相手もその気になってくれるかもしれません。投げやりでなく、前向きな口調で。

自分の思いを込めて

OK!

○○さんの気に入る人を紹介できる自信がないな

もしあなたが紹介したとしても、友人の理想が高ければ、その相手を気に入るかどうか、あなたも責任をもてませんね。友人の理想の人を紹介するのは少し難しいことを伝えましょう。

こんなパターンも

OK!

私の男友達、既婚者ばっかりだからなあ

友人の理想の相手がいないことは、お断りの理由に十分なり得ます。あなたの人脈では希望とする人は少ないので、期待に応えられないと伝えるかえし言葉です。

言っていませんか？

NG!

そんな他力本願やめたほうがいいよ

友人は「もしいたら」くらいの軽い気持ちで尋ねてきたのかもしれません。それなのに上から目線でお説教じみた言葉だと、友人も嫌な気持ちになるでしょう。友情にひびが入ってしまうかも。

02
断りたい依頼②

似顔絵の描ける人 紹介してくれる?

▶技術をもつ人の紹介を求められたときは?

あなたのもつ仕事の知識や技術、人脈を友人特権で軽い気持ちで利用しようとする人はいませんか？　しかもお友達価格の格安でと言われたら、本職で仕事をしている人を紹介しにくいもの。やんわりと伝えつつ、体よく断るには?

似顔絵の上手い人
いないかなあ

STANDARD
これだけ覚えて!

仕事としてでないと、プロには頼めないよ

プロの仕事に対する対価は、材料費だけでなく、作業時間やそれまでの技術や知識習得にかかった時間などから計算されるもの。素人では料金の想像がつきにくいでしょう。プロに仕事を依頼するハードルの高さを理由に断る方法です。

簡潔に

OK!

ごめんね。心あたりがないなあ

「心あたりがない」からと、相手の期待に添えないことを伝える方法です。最初にお詫びの一言を添えると、相手を不用意にがっかりさせず、納得もしてもらいやすいかえし言葉です。

嘘も方便

OK!

忙しいみたいだよ

会社員もフリーランスの人も、社会人なら往々にして忙しいもの。嘘も方便だとしても、相手も納得しやすい理由でしょう。あまり嫌味っぽくならないよう残念そうに言うのがポイント。

自分の思いも込めて

OK!

トラブルになったら大変だから、ごめんね

人を紹介するのにも多少の責任は伴いますね。もし友人と紹介した相手がうまくいかなかったら……。そんな心配の気持ちを込めて正直に伝えれば、相手も強く求めることはしないはず。

言っていませんか？

NG!

自分で探したほうがいいよ

これが本心かもしれませんが、相手は頼む伝手《つて》も方法も、まったくわからない状況でお願いしているのかもしれません。何も知らない相手に冷たく断ってしまっては、相手を落ち込ませてしまうだけ。断るにしても、相手を思いやる気持ちを忘れずに。

02
断りたい依頼③

お金貸してくれない？

▶ お金の無心をされたら？

ずっと仲よくしている友人から、お金を貸してほしいとお願いされました。貸せる金額ですが、これが原因でせっかくの友人関係にひびが入るのが嫌。心配する気持ちはあるけれど、断りたいときにはどうしたらいいでしょうか。

お金を貸してもらえると嬉しいな

STANDARD
これだけ覚えて!

何かあったの？

友人にお金を借りないといけなくなるほど、相手も切羽詰まった状況なのでしょう。金銭の受け渡しはなくても、事情を聞いて問題解決への糸口を探るのもサポートになりますよ。友人の切実な状況を聞いても、きちんと断れる人に向いたかえし言葉です。

対案と一緒に

OK!

役所のサポートがあるはずだから、一緒に探してみようよ

公的な機関に頼る方法があることを提案してください。あなたもできる範囲のことをすると伝えれば、心強く感じてくれるはず。

親切に

OK!

今度ごはんくらいおごるから、借金は一度考え直したほうがいいよ

あなただけでなく、他の人にも打診している様子のときに使いたいかえし言葉。友人を思うからこそのあたたかい言葉をかけるのが大切ですね。

自分の思いも込めて

OK!

貸してあげたいのはやまやまだけど、ごめんね

それぞれに事情があることは、相手もわかっているはず。「子どもが進学を控えている」「親の介護で」など理由を添えて、このかえし言葉を。お互い大変だよね、と共感の気持ちを表せます。

言っていませんか？

NG!

借りるなら○○さんがいいって

矛先を他の人に向けさせるだけで、解決には至りません。もしその人に無心しに行ってしまったら、あなたも責任を感じることになってしまいますね。たらい回しにせず、はっきりと断りましょう。

03

愚痴

彼氏の服がダサくて嫌だ！

同意もしづらく、愚痴《ぐち》への上手な返答はなかなかみつからないもの。相手を否定することなく、その場の雰囲気を悪くしないかえし言葉を用意しておきましょう。

▶ 交際相手の愚痴をこぼされたときは？

交際3年目の友人は、よく恋人の愚痴をこぼします。恋人は、あなたもよく知っている人。ほとんどは冗談まじりで深刻なものではなく、惚《のろ》気《け》にも聞こえるほど。友人にもその恋人にも悪く思われないかえし言葉はどんなもの？

彼氏の服のセンスが致命的で！

STANDARD

これだけ覚えて！

○○さん（友人）はおしゃれだよね

同調してしまうと、あなたが友人の恋人をダサいと認めることになってしまい、ムッとさせてしまいそう。少し目線を変えて、友人を褒めてみるかえし言葉です。「一緒に選んだら？」など、ショッピングデートの提案をするなど、話題を広げるのもいいでしょう。

聞き役に徹して

OK!

そうなんだね

友人は愚痴を聞いてもらいたいだけで、正しい答えを求めているわけではありません。下手にアドバイスすれば藪蛇《やぶへび》になってしまうかも。耳を傾け、あいづちを打つだけのほうが喜ばれますよ。

相手の気持ちをくんで

OK!

でも好きなんでしょ？

友人は大好きな人のことを聞いてほしくて、あなたに話しているのでしょう。それなら、その好きな気持ちをくんであげて。あまり茶化しすぎないように口調に注意して伝えて。

言っていませんか？

NG!

はいはい。愚痴に見せかけた惚気だね

あなたとしては軽い冗談のつもりでも、図星を素直に受けとれない人もいます。相手の気持ちが閉ざされてしまうかもしれません。

愚痴を聞くときのポイント

愚痴を聞くときはおもてなしの気持ちで、聞き役に徹するのが大事なポイント。相手を否定せず、共感していることを示すあいづちを打ちながら聞くと、相手も話しやすくなります。愚痴を聞く余裕のないときは、「時間があまりなくて」と断りを入れて、終わりの時間を決めておくといいでしょう。

04
余計な一言①

やっぱり料理はうちの母親が一番だ

悪気がないのはわかっているけれど、カチンとくる一言を言われることもありますよね。できるだけなごやかに、そして自分の気持ちも込めたかえし言葉は?

▶ パートナーに料理のダメ出しをされたときは?

料理が苦手なあなた。それでも毎日一生懸命調理しています。あなたの努力を知ってか知らずか、パートナーから心ないつぶやきが。「自分でつくればいいのに」と言い返しては、ケンカになるだけ。口論にならないかえし言葉は?

母さんの手料理が一番だなあ
ピクッ

STANDARD
これだけ覚えて!

料理上手なお母さんで羨ましいな

ムッとしたとしても、その気持ちはおさえてパートナーにも相手のお母さんにも角が立たないかえし言葉を選びましょう。この一言をワンクッションにして「どんな料理がおいしかったの?」「得意料理は?」など、別の話題に移すのがいい方法です。

お願いする形で

OK!

今度お母さんの料理、再現してみてほしいな

パートナーが褒めるほどのおいしさなら、お母さんの料理を再現してもらうよう、お願いしてみては。料理をしないパートナーなら家事の大変さも実感してもらえ、あなたへの共感も深まるかも。

相手を持ち上げて

OK!

今度料理のコツを聞いてきてくれない？

大事な家族が褒められれば、パートナーも嬉しいでしょう。パートナーの思い出の味を再現できれば、より仲も深まりそうです。

自分の思いも込めて

OK!

努力も認めてほしいな

苦手なりに毎日がんばっているのだから、パートナーには感謝をしてほしいのが本音です。「私もがんばってるのに！」など、ケンカ腰で言うのではなく、おだやかな口調で日々のあなたの努力を伝えてみては。

言っていませんか？

NG!

お母さんの手料理で舌がつくられてるんだから

事実、そのとおりでしょうが、正論でやりこめるのは得策ではありませんね。ぐうの音も出ないことを言っても、雰囲気は悪くなるだけです。嫌味にならないかえし言葉を。

04

余計な一言②

ちゃんと食べさせてる?

▶ 子育てについて口を出されたときは?

しっかり食べるわりに、なかなか体重が増えない4歳の我が子。子どもの細めの体が義母は心配なのか、あなたを責めるような一言。子どもの健康面はまったく問題がなく義母の杞憂《きゆう》ですが、かえし言葉で安心してもらいたい!

ちゃんとしたごはん
食べさせてるの?

STANDARD

これだけ覚えて!

給食もよく食べるって保育士さんからも太鼓判なんですよ

こんなシーンでは、義母に安心してもらうことを第一に。あなただけでなく、他の人も問題ないとの意見をもっていると伝えれば客観性が保たれますね。とくに日々子どもの面倒を見てくれている保育士さんの言葉なら信憑性《しんぴょうせい》が高く、信用してくれそうです。

普段の様子を伝えて

OK!

こう見えてよく食べるんです

摂取エネルギーより消費エネルギーが上回れば、体重はなかなか増えませんよね。活発な子どもならこう伝えてください。「身長は伸びています」など、子どもの成長についての一言をつけ加えても。

相手を安心させる一言を

OK!

おかげさまで、かぜ知らずなんです

義母の不安の原因がやせていることで病気になりやすそうなら、こんな一言で不安を払拭しましょう。そのうえで「しっかり食べていますよ」とつけ加えれば、義母も一層安心してくれるはず。

こんなパターンも

OK!

料理上手なお義母さんが息子のために
ときどき料理をつくっていただけませんか？

料理好きな義母なら、こんなリクエストをしてみては？　かわいい孫のために喜んで腕をふるってくれるかもしれませんね。

言っていませんか？

NG!

ごめんなさい……

かわいい孫のことを心配しての発言なのでしょう。そんなときは、安心してもらうことが肝心です。子どもの成長には個人差がつきもの。あなたは悪くないのに、その場をおさめようと謝ってしまっては、あなたもつらく、義母の心配も深まってしまいます。

04
余計な一言③

ロングヘアのほうが似合うよ

▶ 外見についてアドバイスされたときは？

先輩からの外見に関するアドバイス。余計なお世話ですが、目をかけてくれているからこその助言かも……と心が揺れるかもしれません。それでも自分の好きな髪型でいたい。こんなときはどんな返事がいい？

あなたはロングヘアの
ほうが清楚で似合うよ

STANDARD
これだけ覚えて！

自分の好きな髪型をしたいんです

先輩は、厚意から髪型についてアドバイスしたのかも。しかしながら、おしゃれは他人の好みでなく、自分の好きなようにしたいもの。事実を伝えるのですから、ストレートに返しましょう。角を立たせないため、笑顔で相手の目を見て伝えて。

他の人の意見を交えて

OK! **パートナーからは好評なんですよ**

パートナーや家族、友人など、あなたのまわりの親しい人が「いい！」と肯定してくれているのなら、自信をもって伝えましょう。先輩のセンスを悪く言っているように聞こえないよう注意して。

自分の思いも込めて

OK! **初めて言われました！**

「そんなことを言うのはあなただけですよ」と嫌味の一言でも言いたくなる場面ですが、ここは伝え方を工夫しましょう。びっくりした表情で言うと、相手も失礼だったと察知してくれるかも。

丁寧に

OK! **貴重なご意見ありがとうございます**

傷ついたり、イラッとしたりすると、冷静に返事はしづらいもの。折り目正しくお礼を言い、自分の気持ちを落ち着かせるかえし言葉です。それからここに挙げた他のかえし言葉を続けても。

言っていませんか？

NG! **パートナーでもないのに、そんなこと言われても**

他人の外見を指摘するのは、モラルハラスメントととられかねないご時世。そんな不用意なことを言う先輩は、もしかしてお調子者？そんな相手に下手なことを言うと「じゃあ、つき合う？」なんて返されるかも。深入りされない言葉でかわしましょう。

04

余計な一言④

皿洗い やっておいたよ！

▶褒め言葉を要求されたときは？

珍しく皿洗いをしたパートナーが、押しつけがましくこの一言。ほとんどの家事をしているあなたの本音は、もっと家事を分担してほしいくらいなのに！　これを好機に、パートナーの家事への意欲を高める言葉をかけたいものですね。

STANDARD

これだけ覚えて！

ありがたいなあ 毎日でもやってほしいくらい

皿洗いをしてくれたことがどのくらいありがたいのかを表現しながら、それを習慣化してほしい気持ちをにじませたかえし言葉です。居丈高《いたけだか》に言うと相手の反感を買い、計画が水の泡になるかもしれません。あくまでも感謝の気持ちを込めてお茶目に伝えましょう。

手短に

OK! **お疲れさま！**

家事を分担するのは、今では当然のこと。だから「ありがとう」と言いたくない気持ちもあるかもしれませんね。労働へのねぎらいは口にしやすいので、簡潔にこのかえし言葉を。

提案する

OK! **意外と大変でしょ？　食洗器買わない？**

家事労働の大変さを共有して、家事のコンパクト化を提案をするかえし言葉です。食洗機が導入されれば、家事の負担も減り、パートナーとの家事分担に対しての不満も減るかもしれません。

具体的に提案

OK! **助かった！**
その勢いでゴミ出しもお願いできる？

皿洗いの達成感から、パートナーの家事労働への意欲が高まっているかもしれません。この機会に手伝ってほしい家事をさりげなく伝えてみては。相手のやる気を削がないよう、優しく。

言っていませんか？

NG! **たまに洗剤が残っているから気をつけてね**

せっかくパートナーが充実感をもっているところに、ケチをつけてしまうのはもったいない。相手がもっと家事をしたくなるかえし言葉を選べば、より素敵なパートナーとの関係が築けそうです。

04

余計な一言⑤

お子さんの受験
どうなったの？

▶ 家族のデリケートな話題を聞かれたときは？

中学受験をしたあなたの子どもは、第一志望は不合格で、第二志望の学校に進学することに。そんな事情を詳しく知らない同僚からの一言にしどろもどろ。子どものプライバシーを守りつつ、角の立たないかえし言葉は？

STANDARD

これだけ覚えて!

一段落して親としても
肩の荷が下りました

当事者ではない同僚にとって、中学受験で大変そうにしていたあなたの様子から、会話のきっかけとして気軽にかけた一言かも。その場合、無理をしてまで正確な結果を伝える必要はありませんね。あなたの今の気持ちを素直に届けるだけで十分です。

本人の気持ちを

OK! **本人は満足しているみたいですよ**

どこの学校に進学しようと、大事なのはその学校に決めた子どもの気持ち。あまり多くの情報を出すと、さらに追及をされかねません。本人の心境を簡潔に伝えるだけでいいでしょう。

手短に

OK! **おかげさまで、なるようになりました**

問いかけてきた同僚と仲がよければ、はっきりさせない返答で乗り切ってみるのも一案です。これ以上追及してほしくない内容だと相手も理解してくれて、話題を変えやすくなるでしょう。

こんなパターンも

OK! **今度は入学準備で大変です**

同僚は具体的な学校名を尋ねてはいません。ですから、あなたも教える必要はありませんね。受験のサポートだけでなく入学準備も慌ただしいと、あなたの状況を伝えるだけでも十分ですよ。

言っていませんか？

NG! **子どもの個人情報ですので**

そのとおりかもしれませんが、棘《とげ》のある言葉ですね。相手の質問をシャットアウトしているように聞こえてしまいます。「本人が公表NGなんですよ」と、子どもを芸能人にみたててユーモラスに言いかえても。

05

自慢話①

俺の若い頃はすごかったんだ

自慢話は、あまり長々と聞きたくないかもしれません。でもかえし言葉次第では、場を盛り上げることも、盛り下げることもできるトピックスでもあります。

▶ 武勇伝を語られたときは?

会うたびにバブル時代の思い出を自慢げに語る親戚のおじさん。バブル期は幼児だったあなたにとって、あの時代は絵空事のようで、話を聞いていても驚くことばかり。その素直な思いを相手に伝えるだけでも、場は盛り上がりますよ。

俺の若い頃は一晩に
何万円も使っていたんだ

STANDARD これだけ覚えて!

そんな時代もあったんですね!

バブル時代を知らないなら、素直な驚きを伝えましょう。自慢話が好きな相手なら喜んでいろいろ教えてくれるはず。「**さ**すが・**知**らなかった・**す**ごい・**セ**ンスがいいですね・**そ**うなんですね」の、さしすせそのあいづちを打って聞き上手に。

期待を込めて

OK!

またそのくらい景気がよくなればいいですよね

昔のよかった面が話題なら、今もそうなればいいのになと期待を込めて言ってみる方法です。ただし、今の不景気を嘆《なげ》きすぎると、雰囲気も暗くなってしまいます。

思い出話につなげて

OK!

ドラマの世界みたいですね

テレビの中のような華やかな世界みたいと驚きが伝わる言葉です。当時流行していたドラマや俳優、文化など、具体的な名前を挙げれば、思い出話を聞かせてくれて話題も広がりそうです。

親しみを込めて

OK!

あっ、あのお話ですね！　覚えていますよ！

相手の定番ネタとして受けとめていると答えましょう。相手の話をきちんと聞いて覚えていますよという、相手への親しみも伝えられます。うんざりした感じではなくて、もっと聞きたいと好奇心を感じさせる調子で。

言っていませんか？

NG!

成金みたいですね！

不景気の続く今と比較するとそんな気持ちにもなりますが、あまりにストレートすぎると相手もびっくりしてしまいそう。関係にも支障が出かねないので、嫌味に聞こえない言葉を選びましょう。

05
自慢話②

俺が部長にかけ合った成果なんだ

▶ 仕事の自慢をされたときは?

仕事がしやすくなるよう、快適な職場環境に整えてくれた上司。奔走してくれてありがたいのは重々承知していますが、たびたび自慢を口にします。穏やかに対応できるかえし言葉は?

俺が部長にかけ合って、変えてもらったんだ

STANDARD
これだけ覚えて!

働きやすいのも○○さんのご尽力の賜物ですね

上司が部署全体のことを考えて、改善のための行動を起こしてくれたことを、きちんと認識していますよと伝えるかえし言葉です。理解者がいるとわかれば、上司も満足してくれそう。「ありがとうございます」と感謝の気持ちを重ねると、より丁寧です。

最低限、これだけは

OK!

すごいですね！

誰しも称賛されるのは嬉しいもの。反応に困ったときは、ひとまず褒め言葉を選ぶのも手。相手の話をきちんと聞いて受けとめている合図でもある言葉なので、あいづちとしても使えますね。

時間がないときは

OK!

ごめんなさい！　急ぎで返さないといけないメールがあるんです

ゆっくり耳を傾ける余裕がないときに。「別の機会に詳しく聞かせてください」と言い添えれば、上司も気分を害することはないでしょう。

手短に

OK!

部長にかけ合ってくださったんですね

オウム返しは、聞いていますよのサインです。どんな場面でも使いやすいあいづちですね。さらに「いつも感謝しています」とお礼を重ねれば、相手も喜んでくれるでしょう。

言っていませんか？

NG!

そうなんですね。前にも伺いました

何度も聞いた話題でも、つっけんどんに言葉を返してしまっては上司も不満に思い、場の雰囲気も悪くなってしまいます。なごやかな言葉をかければこれからの関係性もよくなりますよ。

05
自慢話③

うちの車は左ハンドルで

持ち物について自慢されたときは?

知人が購入した新車は、どうやら外車のよう。相手は得意げですが、車に興味のないあなたはどうコメントしていいかわかりません。知識がなくても会話をふくらませられ、しかも相手に喜ばれるかえし言葉はどんなものでしょうか?

左ハンドルの車を買ったんだ

STANDARD
これだけ覚えて!

ドライブがお好きなんですか?

車そのものの感想が言えないときは、車に関連する話題を。視点を少しずらして話題を広げられるので、あなたも話しやすくなりますね。「新車でのドライブは気持ちよさそうですね」「どのあたりを走られるんですか?」など、あなたの気持ちを添えても。

最低限、これだけは

OK!

こだわられているんですね

具体的な質問や返事ができない場合は、会話が弾む魔法のかえし言葉を。車に限らず、あなたが知らない分野の話題を振られ、返事に窮したときにも使える便利なフレーズです。

手短に

OK!

素敵ですね

相手は褒めてほしいのでしょうから、ひねりを加えず称賛を送ってください。ここから車について話題が広がった場合は「ごめんなさい、車に詳しくなくて」と素直に断れば、角は立ちません。

具体的に提案

OK!

ぜひ今度乗せてください

親しい間柄なら、思いきってドライブにお供したいとお願いしてみましょう。いつ、どこへ行くのか、計画を練るうちに車自体の話から楽しいドライブの企画へと話題を移すことができます。

言っていませんか？

NG!

正直なところ、おいくらでした？

あなたが相手の経済状況を探ってくる人という印象を与えてしまいかねない一言です。今後のつき合いを考えると有効なかえし言葉ではありませんね。下世話と受けとめられそうな質問は控えたほうが無難です。

06 相談①
お義父さんたちに口を挟まれたくなくて

相談をしたり、されたりする機会、ありますよね。相談を受けた場合、相手の気持ちを受けとめ、感情的にならずにあなたの意見を伝えて解決を目指して。

▶パートナーから両親への不満を相談されたときは?

子どもが小学3年生に進級した春、パートナーから唐突にこんな相談がありました。パートナーとしては夫婦と子どもの3人で進学については考えたい模様。両親の行いに寝耳に水のあなたは、どう対応すればいいのでしょう。

お義父さんたちから子どもの教育方針にいろいろ言われて困っていて……
学園

STANDARD
これだけ覚えて!

困っていることを教えてくれてありがとう

まずは、困りごとについて傾聴の姿勢を見せることが大切。相談ごとの解決を進めるうえでは、お互いの考えを包み隠さず話すと、しこりを残さずに済みます。そのためにも、まずは相手の話を喜んで聞くよという姿勢が伝わるかえし言葉を。

期待に応えて

OK!

僕から両親と相談してみるね

相手は、家族と義両親との間に立ってほしいとあなたに期待して相談していますね。その依頼に応えるかえし言葉です。うんざりしたそぶりは見せないように、真摯《しんし》な態度で向き合って。

解決に努めて

OK!

具体的に聞いても大丈夫？

相談ごとの解決をするためには、相手の困っていることを具体的に聞き出すのが第一歩。パートナーの意見をもとに、両親と話し合えば齟齬《そご》も少なくなるはず。

言っていませんか？

NG!

聞くだけ聞いてくれていたらいいから

ついつい大切な両親の肩をもって、パートナーの忍耐不足のように言ってしまうことはありませんか？　困っているパートナーの気持ちに寄り添い、思いをくめる言葉を選びたいですね。

相談を聞くとき、話の行き違いを防ぐには？

相談を受けるなかでよくあるのが、相手の意図をくみとれず、行き違いが起こること。それを防ぐため、時折相手の真意を確認することが大切です。「こういう意味で合っているよね？」とおだやかに尋ねて、スムーズに解決できるよう努めてください。

06
相談②

家のこと もっとしてほしいな

▶ パートナーから家事分担について相談されたときは？

ふたりの子どもがいる共働きの夫婦。保育園への送り迎えやゴミ出し、食器洗いと、夫としては育児と家事に参加しているつもりでしたが、妻はもっと家事をしてほしいよう。どんな家事をすればいいのか、おだやかな尋ね方は？

もっと家事をして
もらえないかな

STANDARD
これだけ覚えて！

気づかなくてごめんね

家事・育児をしているのですから、あなたにも言い分もあるでしょう。でもここはぐっとおさえて、まずは妻がずっともやもやを抱えていたことに対するお詫びの一言を。最初に非を認めることで妻の不満もやわらぎ、話を聞き出しやすくなりますよ。

感想と一緒に

OK!

具体的に教えてもらえると助かるな

何をすればいいのかわからない場合、妻の要望を尋ねましょう。その際には家事を手伝うのではなく、家庭の共同運営者としての意識をもって、主体的に家事に参加する姿勢をみせること。

こんなパターンも

OK!

たまには家事の外注しない？

共働きで忙しいのはお互いさま。これ以上家事をする余裕がとれない場合は、プロの手を借りる提案をしてみては。食洗機やロボット掃除機など、便利な家電を導入する提案も一案。

決意を込めて

OK!

今までの分をとり戻せるよう
これからがんばるね

妻は期待しているからこそ、あなたにお願いをしています。それに応えるためにも、今後努力する強い意志があることを、きちんと伝えましょう。

言っていませんか？

NG!

俺なりにやっているんだけどな……

反論など言語道断。妻の怒りの火に油を注いでしまいますね。夫婦仲を険悪にしたくないのなら、ここはぐっと堪えて。一緒に家事や育児を行うパートナーとしてまずは妻の意見に耳を傾けましょう。

07
恋愛①

つき合っている人はいるんですか？

意外な人からアプローチされると戸惑いますよね。人間関係次第では、はっきり断りづらいことも。好意に感謝しながらも、真意が伝わるかえし言葉を。

▶ 交際相手の有無を聞かれたときは？

職場での懇親会からの帰り道、先輩から突然恋愛絡みのアプローチ！　頼りになるとは思っていたけれど、恋愛対象ではなくて……。下手に答えて関係がぎくしゃくして仕事がしづらくなるのも避けたいとき、どう答えればいい？

つき合っている人はいるの？

STANDARD
これだけ覚えて!

ご想像にお任せしますね

　はっきり答えて関係性がこじれてしまいそうなら、ぼかした表現でまずは質問を受け流してみて。このかえし言葉なら、あなたが答えづらいことが伝わるでしょう。それでも追及されたら、余計な期待をもたせないようきっぱり告げたほうがいいかもしれません。

冗談を交えて

OK!

いるってことにしておこうかな

こちらもプライベートの情報を秘密にしておきたいと伝えたいときに。「ご想像にお任せします」よりも、直接的な表現なので、やんわりと断りたいときに役立つフレーズです。

はぐらかすには

OK!

何の突撃取材ですか？

話をはぐらかして質問に答えない方法です。「芸能人ではないので、ノーコメントで」とつけ足すと、あなたが相手に恋心はないと気づいてくれそうです。照れる質問やコメントをされたときにも便利に使えますよ。

まじめな顔で

OK!

職場ではプライベートの話を控えています

あなたが仕事とプライベートをきっちりと分けているなら、このかえし言葉もOK。返事が冷たい印象に聞こえてしまうかもしれないので、口調はあくまでやわらかく。

言っていませんか？

NG!

セクハラっぽいですね

答えたくない質問だとしても、「セクハラ」や「パワハラ」のような強い言葉を初《しょ》手《て》からもち出すのは相手を傷つけるだけ。今後もいい関係を保ちたいのなら、おだやかな対応を心がけてください。

07
恋愛②

つき合ってください！

▶ 交際の申し込みを断りたいときは？

仲のいい友人から突然交際を申し込まれました。相手を恋愛対象として見ていないのもありますが、今のあなたは恋愛よりも仕事をがんばりたいとき。今後も友人として仲よくしたい場合、傷つけずに断るかえし言葉は？

好きです！
つき合ってください！

STANDARD
これだけ覚えて！

恋愛より今は仕事をがんばりたいんだ

あなたのなかでの最優先は、仕事であることは揺るぎのない事実。言い訳がましい説明をするより「恋愛より仕事をがんばりたい」とストレートに伝えましょう。働き盛りの世代なら仕事に打ち込んでいる人も多いでしょうから、相手も納得しやすいかえし言葉です。

さらに重ねて

OK!

今は恋愛モードになれないんだ

熱意のあるアプローチには、こう答えてみては。この回答なら、相手も断られたと理解してもらえるでしょう。「恋愛と仕事を両立できるほど器用じゃないから」と言いかえても。

感想と一緒に

OK!

今の関係性が好きだから

共通の知人が多いといった理由で、関係をこじらせたくないときは、このかえし言葉を理由として添えてください。こう言えば、友人もこれ以上アプローチしづらくなるはず。誠実な態度で答えましょう。

自分の思いも込めて

OK!

あなたみたいないい人は
私にはもったいないよ

もっと素敵な人が見つかることを示唆して。断りの常套句なので、あなたの気持ちもわかってもらえるでしょう。

言っていませんか？

NG!

何かの罰ゲーム？

相手の真摯《しんし》な気持ちを茶化すのは失礼にあたりますね。どんなに近しい関係であっても、誠実な気持ちに対してふざけて返すのは相手を不用意に傷つけかねません。冗談めかした言葉は控えて。

08
自虐①

私なんて……

へりくだりすぎて発言が自虐的な人、いませんか？　素敵なところがたくさんあるのに、そんなに卑下しなくても。相手の自尊心を高められるかえし言葉を。

▶ 自尊心の低い友人には？

何かと落ち込みやすい友人。この日もまた自分を責めるようなことを言っています。原因は仕事でのミスですが、些細なもので社内の人は誰も気にしていないレベル。元気になってもらうには、どんなかえし言葉を送ればいい？

STANDARD
これだけ覚えて！

私は〇〇さんが友達でよかったよ

　いくら正しい意見だろうと、悲観している相手に正論や御託を並べても響きません。それよりも、あなたが相手を思う気持ちをストレートに伝えるほうが慰めになるでしょう。このかえし言葉は、友人に寄り添い続けるよというメッセージとなります。

長所を伝える

OK! **慎重に考えられるところが好きだよ**

友人の美点を具体的に告げる方法もあります。友人が欠点だと感じている部分も、他人からすれば魅力的に映ることは多々あります。そんなふうに伝えれば、相手の気持ちも前向きになるでしょう。

相手を肯定する

OK! **○○さんのいいところ**
私はいっぱい知ってるよ

自己肯定感の低さから落ち込みやすい友人には、自尊心を養うお手伝いを。日頃から長所を探して具体的に相手のよさを伝えると、もっと仲よくなれそう。

話題を広げる

OK! **飲みに行こうよ**

かける言葉がみあたらないなら、行動に移すかえし言葉を。「飲みに行こう」でなくても「映画を観に行こう」など、お互いの共通の趣味や相手の好きなもので、前向きなアクションを提案して。

言っていませんか？

NG! **そういう言い方よくないよ**

落ち込んでいる相手に、お説教は禁物。きつい言葉ですので、より意気消沈させてしまうことになります。相手が前向きになれる言葉を選んで励ましたいですね。

08 自虐②

○○卒だし……

▶ 学歴の自虐をされたときは？

学歴コンプレックスを抱える友人。社会人として立派に仕事をしているのに、ことあるごとにこう言っています。彼が学歴を気にしなくてもよくなるようなかえし言葉をかけるには？

STANDARD
これだけ覚えて!

あなたは学歴に関係なく魅力があるよ

人を構成するのは学歴だけではありません。学歴は要素のひとつにすぎないのですから、こだわりすぎないでほしい。そんなあなたの思いを伝えるかえし言葉で、相手の気持ちをほぐしましょう。相手の人柄を褒めるエピソードを添えてもいいですね。

最低限、これだけは

OK!

人間、学歴より実力だよね

社会に出れば実力でがんばっている人がほとんどでしょう。相手もしっかり仕事をしているのですから、励ますかえし言葉を送りましょう。

感想と一緒に

OK!

でも、今好きな仕事しているからよくない？

今の仕事に満足しているかどうかは、学歴と必ずしも比例するものでありませんね。好きな仕事ができて、充実しているのは胸を張れることであると伝えましょう。

こんなパターンも

OK!

学歴のことを言ってくる人なんて
大したことない証拠だよ

相手が悩んでいるのは、コンプレックスを不用意に刺激する人が身近にいるからかも。吹っ切ってもらえるよう、励ますトーンで言葉をかけて。

言っていませんか？

NG!

○○卒でもがんばっていて偉いじゃん！

もしあなたが相手より学歴が高い場合は、上から目線のように感じさせてしまいます。コンプレックスを逆なでするかもしれない具体的な学歴は出さずに、相手を励ますことが肝心ですね。

08 貧乏だから服も安物で

自虐③

▶ 服装の自虐をされたときは?

友人が着ているシャツが素敵で、またよく似合っているので褒めたところ、ため息を吐きながらこんな返事が。嫌味ではなく本当にいいと思ったのに。本心から感心していることを伝えるには、どんな言葉を選べばいいでしょうか?

貧乏だから安物ばっかり着ちゃってね
いや〜〜

STANDARD
これだけ覚えて!

私もその服がほしいくらい!

あなたは、その洋服がいいと思っています。ならば、それを貫きましょう。相手に同意して前言撤回せず、褒め続けてください。「自分でもほしい」「真似して買ってもいい?」「本当に素敵」などと言えば、本当にその洋服がいいと感じていることが伝わるはず。

最低限、これだけは

OK!

そうは見えないよ

気の利いた言い回しが見あたらないときは、まず「安物」に対しての否定をしましょう。「着こなしが素敵だから、値段以上に見えるよ」などとつけ加えれば相手も悪い気はしないはず。

相手を持ち上げて

OK!

お買い物上手だよね

友人はセンスがあるから、素敵な洋服をリーズナブルに手に入れています。その才能を褒めるかえし言葉です。「お求めはどちらで？」など加えると、よりあなたの気持ちが正しく伝わりそう。

こんなパターンも

OK!

コーディネートも上手だし

洋服だけでなく、コーディネートに言及してもいいですね。コーディネートが上手＝センスがいいと伝えられるので、あなたが心から相手を褒めていることが届くでしょう。相手も喜んでくれるはずですよ。

言っていませんか？

NG!

でも、似合ってるよ

「自分に似合うものを選ぶセンスがあって羨ましい」という意図の一言も、言葉足らずにならないように。「安物が似合っている」と聞こえるかもしれないので、理由もきちんと述べましょう。

COLUMN 03

指摘する、断る。困る場面でもやわらかな対応を心がけて

社会人生活が長くなると、指摘をしたり要求を断ったり、相手の望まないことを伝える必要に迫られる場面が多くなりますね。

部下に指摘をするとき、「ありえない」「信じられない」と人格を否定してしまうような強い言葉を使ってはいませんか？　感情的に異を唱えると相手も萎縮してしまい、これからの仕事にも差し障りますね。あなたの感情を示すのではなく、具体的に「企画書のこの部分が、これまでのやりとりから飛躍があってわかりにくいな」といったように伝えてみてはいかがでしょうか。相手も仕事を進めやすくなりますね。

取引先にお断りをしないといけない場面では、共通の敵をつくると相手の気持ちに波風を立てにくくなります。

たとえば、取引先へお断りの連絡をするときも、「経済情勢が見通せないので」「弊社の経営方針の変更のため」などと、あくまでも相手が悪いのではないと前置きをすれば、お互いがおだやかな関係性のまま決定事項を伝えることができます。加えて「担当者の私としてはご尽力いただいた〇〇さんに、こんなことをお伝えするのは心苦しいのですが」と言うとより丁寧です。

どちらも仕事だけでなく家族や友人に対しても使えるテクニックですので、日常生活にも応用してみてください。

4章

報告を受けての
かえし言葉

4章

報告を受けてのかえし言葉おさえどころ

報告の会話では主役を意識しましょう

会話では共感が大切です。嬉しい報告をして、一緒に喜んでもらって、嬉しい気持ちが何倍にもなった経験はありませんか？しかし、過剰な共感には要注意。

報告をしてくれた本人よりも憤ってしまったり、喜びすぎてしまったり。相手の感情を先取りしてしまうと、相手も困惑しますし、ときには「あなたに私の気持ちはわかるはずないのに」と反感を覚えてしまいかねません。

相手の気持ちは相手のもの。ここでの主役は報告をする相手です。気持ちに寄り添うけれども、先取りをすることは避けると、上手に報告を受けることができますよ。

また、報告を受けて自分も似たような経験をしていたら、体験談を話したり、アドバイスをしたりしたくなりますね。しかしこれも要注意です。

たとえば、転職活動をしているという報告を受けたとき。転職の経験があれば、よかれと思い助言をしたくなります。しかしながら転職活動は、時代や年齢、キャリア、家庭環境などによって十人十色。ひとつとして同じ転職活動はありません。それなのに、あまり噛み合っていない、役に立たないアドバイスをされてしまうと、相手も反応に困ってしまいそうです。

やはりここでも、主役は報告をしてくれた相手です。アドバイスは尋ねられたら伝えることを心がけて、上手なあいづちを打ちながら相手の話を引き出すスタンスでいると、いい雰囲気をつくることができます。

傷ついた相手を励ますときには？

悲しくつらい報告を受けたときにも、注意したいポイントがあります。

それは「どんなことがあっても助けるよ」「いつでも駆けつけるよ」といった、相手を全面的に受け入れるような強すぎる表現は避けること。

傷ついた相手に寄り添って、力になりたい。その気持ちはごく自然なものです。しかし、「どんなことがあっても」や「いつでも」といった気持ちのこもりすぎた言葉は、相手にも強い影響を与えることにつながります。万が一実現ができなかったとき相手の心を折りかねませんし、また依存を招く可能性もあります。お互いに不幸な状況は回避したいですよね。

どんな報告や相談を受けたときも、あくまで相手のできごとであることを意識して受けとってください。そして、相手と自分との間に線を引いて、相手の気持ちを内面化しないことが大切だと言えます。

01

嬉しい報告①

結婚することになりました

友人に社内外のつき合いなどで、さまざまな嬉しい報告を受けることがあるでしょう。相手の嬉しい気持ちに水をささない、明るい言葉をかけたいものですね。

▶ 結婚の報告を受けたときは?

仲のいい同僚から結婚の報告で、あなたも幸せな気持ちになりました。ただ「おめでとう」と伝える以上に、あなたの喜びも表現したい。そんなときはどんなかえし言葉を贈ればいいのでしょうか?

今度結婚することに
なりました

STANDARD

これだけ
覚えて!

おめでとう。
末長くお幸せにね

ありふれたメッセージですが、冠婚葬祭で贈る言葉なら少しかしこまった定型文をおさえておくといいですね。まずはこのかえし言葉で、相手の結婚を折り目正しく祝福しましょう。相手も丁寧な言葉から、大切に思ってもらえていると感じてくれそう。

シンプルに

OK!

本当に嬉しいよ！

同僚が幸せであることが、あなたの幸せにつながることを、まっすぐな言葉で。満面の笑みを浮かべて言うことで、何よりの贈り物になり、相手も報告してよかったと思うでしょう。

こんなパターンも

OK!

お祝いのリクエストあれば教えてね

おめでたい報告を受けると、お祝いの品物を考えるのも楽しみになりますね。できるだけ相手に喜んでもらえる贈り物を選びたいもの。リクエストを尋ねつつ、あなたの喜びも伝えられるかえし言葉です。

感想と一緒に

OK!

私もあやかりたいな

あなたも婚活中なら、先を越されて少し悔しい気持ちもあるかもしれません。ちょっぴり羨ましさをにじませながら、祝福する方法も。ひがみっぽくならないように、言い方には注意して。

言っていませんか？

NG!

えーっ！　プロポーズはいつ？　どこで！？

日頃接している人のビッグニュースは、詳しく知りたくなるもの。でも、まずはやっぱり「おめでとう」の言葉が大事。根掘り葉掘り尋ねるのは、相手が落ち着いてからでも遅くはありませんよ。

01 お腹に赤ちゃんがいるんです

嬉しい報告②

▶ 妊娠の報告を受けたら？

友人から妊娠の報告。おめでたいですが、センシティブな話題でもあるのであまり深く聞かないほうがいいのかなという気も。でも目一杯祝福はしたいですよね。「おめでとう」にどんな言葉を続ければ、この思いが伝わるでしょうか。

実はお腹に赤ちゃんがいて
今5か月なんだ

STANDARD
これだけ覚えて！

楽しみだね！

友人が一番楽しみにしているのは、無事赤ちゃんに出会うこと。待ち遠しく、ワクワクした気持ちをあなたも分かち合いたいですよね。そんなときの一言。いろいろ伝えたいことはありますが、これくらいシンプルなメッセージのほうが祝意を伝えられるでしょう。

最低限、これだけは

OK! **無理をせず、体を大切にしてね！**

妊娠中、一番大切にしてほしいのはお母さんの体。そんな思いを言葉にすると、相手も気遣いを感じてくれそう。具体的に「温かくしてね」などと言いかえてもいいですね。

配慮の一言を

OK! **大変なことがあったら言ってね**

妊娠中はお腹も大きくなり何かと不自由で、不安もたくさん。あなたの困ったときは助けるよという姿勢は、友人も心強く感じてくれそう。

話題を広げる

OK! **名前はもう考えているの？**

名前は親から子への最初のプレゼント。男の子でも女の子でもどんな名前が候補に上がっているのかを尋ねれば、会話も盛り上がるでしょう。

言っていませんか？

NG! **ひとりの体じゃないんだから、ちゃんとしないとね**

お節介なうえ、上から目線な一言。こう言われなくとも、相手は普段以上に生活習慣など気をつけています。あなたに出産の経験があれば、なおさら先輩風を吹かせているようで、相手は気持ちがよくないかもしれませんね。

01

嬉しい報告③

大学院に入り直すことにしました

▶ 進学の報告を受けたら?

会社員の友人から、大学院に通い始めるとの報告。これから昼は会社員、夜は大学生の二足のわらじを履く相手に、あなたは感心しきり。新たな一歩を踏み出す人へ、どんな言葉をかければ、応援している気持ちが伝わる?

春から大学院に
入り直すことにしたんだ

STANDARD

これだけ覚えて!

おめでとう。
実り多い学生生活になるといいね

新たな生活を始める友人は、期待と不安、両方の気持ちを抱えているかも。希望に満ちた前途を称《たた》えるため「おめでとう」という祝福の言葉は欠かせませんね。さらに学生生活が充実したものになるよう、不安を払拭させる祈りを込めたメッセージを続けては。

長所を伝えて

OK!

いつでも向上心があるのが○○さんのいいところだよね

お祝いの言葉に加えて、友人の前向きな意欲や努力を褒めるかえし言葉を。仲のいい関係だからこそ、かけられる言葉がきっとあるはずですね。

より丁寧に

OK!

一度社会に出てからのほうが身につくこともきっと多いよね

社会人を経験し、視野が広がったからこそ、大学院進学を考えたのかもしれません。そんな友人に共感するかえし言葉です。

話題を広げる

OK!

どんなことを研究するの？

「おめでとう」だけで終わらせたくないなら、専攻分野を尋ねると話題も広がります。よく知らない分野なら「どんな研究方法なの？」などと、具体的に質問すれば話題が広がります。

言っていませんか？

NG!

でも、学費が大変だね

せっかくのおめでたい報告に、現実的な話をして水をさすのは野暮ですね。とくに学費などのお金の話は気になったとしても話題にしないほうが無難です。まず喜びを共有できるかえし言葉を。

01
嬉しい報告④

家を新築することにしました

▶ 引っ越しの報告には?

一軒家を建てることを目標としてきた同僚から、ついに新築の報告が。満面の笑みからもその喜びが伝わってきます。同僚が日頃から節約し、貯金していたことを知っているだけに、あなたも祝いたい気持ちでいっぱいです。

家を新築して引っ越すことにしたんです

STANDARD
これだけ覚えて!

素敵な新生活になりますように!

　これから新居での生活を始める同僚は、期待で胸一杯でしょう。そんな相手の気持ちをくみ、素晴らしい毎日を送れるよう、祈りを込めたかえし言葉でお祝いをしてください。あなたが共感を示すことで、相手はますます喜びを噛《か》みしめてくれるかもしれません。

お祝いの言葉を

OK!

こだわったところは？

お家は多くの人にとって一生に一度のお買いもの。こだわりもたくさん詰まっているでしょう。相手もきっと話したく思っているはず。インタビューすると喜ばれそう。

親しい人へは

OK!

落ち着いたら遊びに行かせてもらっていい？

家は同僚の努力の結晶。仲のいい人にはお披露目したい気持ちがあるでしょう。遊びに行きたいと伝えることで、その気持ちをくみとることができますね。相手も喜んで承諾してくれそう。

相手を褒めて

OK!

おしゃれな○○さんだから
素敵なお家になるんだろうな

日頃感じていても、普段なかなか褒めることのない相手の長所。その美点を織り込んだメッセージも素敵です。

言っていませんか？

NG!

場所は？　広さは？　お値段は？

最寄り駅はどこなのか、敷地面積や間取りはどのくらいなのか、気になる人もいるかもしれません。でもこの質問は、相手の経済状況を詮索しているようで、あまり品がよくありませんね。野次馬のような気持ちはおさえて、温かい言葉を贈りましょう。

01
嬉しい報告⑤

子どもが志望校に合格しました

▶ 家族の進学の報告を受けたときは?

職場の先輩から、子どもが中学受験に合格したと報告がありました。受験にあたっては先輩も熱心にサポートしていたので、喜びもひとしおのよう。そんな相手への「おめでとう」に続くぴったりのかえし言葉はなんでしょうか?

子どもが志望校に
無事合格したんだよ

STANDARD
これだけ覚えて!

○○さんも一安心ですね

中学受験は、本人はもとよりサポートする保護者も大変。そんな大仕事を終えた先輩は、ほっと一安心といったところでしょう。その心境に寄り添ったかえし言葉を送ってください。先輩から喜びや苦労話といった話題を引き出すきっかけにもなりそう。

最低限、これだけは

OK!

よかったねとお伝えください

保護者はもちろんですが、一番がんばったのは先輩のお子さんです。本人へのメッセージも忘れずに伝えましょう。「努力が実ってよかったですね」「中学生活が楽しみですね」などと添えても。

感想と一緒に

OK!

中学受験は親子二人三脚ですもんね。〇〇さんもお疲れさまでした

長い時間サポートしてきた先輩も大変な苦労だったでしょうから、達成感もきっとひとしお。祝意とともに相手の労もねぎらえば、相手も達成感をより抱いてくれそう。

手短に

OK!

春から楽しみですね

お子さんも先輩も春からの新生活に胸をふくらませているはず。それを代弁するかえし言葉なら、相手と喜びを共有できますね。進学準備が大変そうなら、それをねぎらう言葉をかけてもOK。

言っていませんか？

NG!

第一志望ですか？

合格して喜んでいる先輩に、あなたの個人的な興味で水をさすのは失礼。どの学校に進学したのか気になるなら、学校名を尋ねるだけで十分です。お祝いのムードを壊さない言葉を選びましょう。

02
悲しい報告①

母が昨日亡くなりました

トラブルや病気、けが、家族の死去など悲しい報告。相手のつらい思いをやわらげることができ、相手の気持ちに寄り添えるかえし言葉は?

▶ 家族の死去の報告を聞いたときは?

危篤のお母さんと最期の時間をすごしていた同僚から、忌引を申請する電話がかかってきました。覚悟はしていたであろうもののの、その声音からかなり落ち込んでいる様子が伝わってきます。どんな言葉で慰めればいいのでしょうか?

母親が昨晩
亡くなりまして……

STANDARD
これだけ覚えて!

お悔やみ申し上げます

まずは丁寧にお悔やみの言葉を。そのあとに会話を続ける際には忌み言葉には気をつけて。「重ね重ね」「いよいよ」といった重ね言葉は、不幸が重なると思わせます。「浮かばれない」なども不吉とされていますので、これらの言葉は避けましょう。

気持ちをくんで

OK!

それはおつらいですね

肉親が亡くなった悲しみに、ただ寄り添うかえし言葉です。葬儀が終わっても、しばらくの間は目まぐるしい日々が続くでしょうから「ご無理をなさらず」といったいたわりの言葉をかけても。

寄り添う言葉を

OK!

心中お察しします

自分にも経験があったり、相手があまりにも落ち込んでいたりするときは、この言葉をかけてください。つらい相手の気持ちに理解を示して、寄り添っていることを伝えられます。

こんなパターンも

OK!

職場のことは任せてね

同僚は意気消沈しているだけでなく、葬儀の準備などで慌ただしくもある状況です。忌引中の仕事などのサポートを請け負い、優しい言葉をかけて、できるだけ同僚の負担を減らしましょう。

言っていませんか？

NG!

私たちもそんな年だよね

励ますつもりでも、「しかたのないこと」と捉えられる言い方は避けて、相手の気持ちに寄り添うことを第一に。「がんばって」や「元気を出して」などといった、一見前向きに思える言葉もプレッシャーになってしまうかも。そういった言葉も控えましょう。

02

悲しい報告②

入院することになりました

入院すると聞いたときは？

知人から入院すると言われました。詳しく話を聞くと、深刻な事態ではないよう。シリアスな状況ではないとはいえ、病気で入院するのは初めてのことで、知人は不安な思いを抱えている様子です。適切な励ましの言葉は？

今度、入院することになりまして……

STANDARD

これだけ覚えて!

**無理なさらず
お大事になさってください**

元気づけるため、ポジティブなかえし言葉をかけたくなりますね。でも前向きなメッセージに聞こえる「がんばって」は、プレッシャーに感じる人もいます。不安を感じている知人は、優しい一言がほしいはず。相手の気持ちに寄り添った言葉を選びましょう。

最低限、これだけは

OK!

それは大変ですね。今、お加減はいかがですか？

少しでも知人の不安を解消するかえし言葉をかけたいもの。心身の調子を尋ねることで、心境を吐露できるかもしれません。不安を吐き出せば、知人の心が軽くなるきっかけになるかも。

手短に

OK!

ゆっくり休んでしっかり治してきてくださいね

ゆっくり休むことも、しっかり治すことも知人に必要なこと。元気になって戻ってくる知人を心待ちにする言葉なら、あなたが相手のことを大切に思っていることが伝るでしょう。

話題を広げる

OK!

お見舞いは○○さんの好きなものを用意しますね

お見舞いに行く、しかも知人の好きなものを持参して、と言えば不安な入院中にも楽しみが生まれるでしょう。希望の品物を尋ねれば話題も広がり、つかの間、病気のことを忘れられるかも。

言っていませんか？

NG!

うちの親も胃がんになって大変だったんですよ〜

安心させたい気持ちでも、自分や身内の経験を語るのはNG。病状は比べられるものではありませんね。相手は安心するどころか、さらに不安になってしまうかも。今は自分の話をするのではなく、相手の気持ちを一番に考えて。

02 病気が判明しました

悲しい報告③

▶ 病気を告白されたときは？

会社の健康診断で病気が発覚し休職の可能性もある、と同僚からの報告。いつも元気な同僚だけあってあなたもショックを受けましたが、本人はさらに落ち込んでいます。どういった言葉をかければ、勇気づけられるのでしょうか？

STANDARD これだけ覚えて!

できることがあったら教えてね

自覚症状がなかった分、同僚は落ち込んで冷静でいられなかったり、前向きに治療したいと考えたり、と複雑な心境でしょう。気分がふさぐ時間が増えているかもしれません。同僚の負担にならないよう、寄り添うかえし言葉で相手の気持ちを落ち着かせて。

最低限、これだけは

OK!

無理だけはしないでね

具体的に治療の話が進んでいたとしても「がんばって」と励ますのは避けて。相手は「治さないと」とプレッシャーになるかもしれません。相手のペースを崩さないかえし言葉がいいでしょう。

自分の思いも込めて

OK!

今は自分のことを優先してね

病気になった自分を責めているかもしれません。そんな場合は、肩の荷を下ろしてもらえるフレーズを。負担をかけないかえし言葉を贈りましょう。

こんなパターンも

OK!

もし休職しても仲間だよ

入院などで休職となると、仕事熱心な同僚の場合ショックでしょう。職場復帰を心待ちにしていても「早く戻ってきてね」などの直接的な表現は負担になるかも。さりげない言葉で相手の気持ちを軽く。

言っていませんか？

NG!

大丈夫だよ！　絶対治るよ！

安心させるために言いがちですが、絶対治るとは誰も保証できませんね。安易な励ましは相手の反感を買ってしまうかもしれません。一方的に前向きな言葉をかけるより、相手の気持ちに寄り添うことが大切です。

02
悲しい報告④

交通事故を起こしてしまって

▶ 交通事故の報告を受けたときは?

首にコルセットを巻いて現れた友人。事情を尋ねると自損事故を起こし、むちうちになってしまったそう。「人を巻き込まなくてよかった」と笑っていますが……。こんなとき、どんなお見舞いの言葉をかければいいのでしょうか?

自損事故を
起こしちゃって

STANDARD
これだけ覚えて!

今痛みは?
ゆっくり休んでね

友人は事故を起こしてショックなだけでなく、自分自身を責めているかもしれませんね。そのうえ、けがまでしているとなったらかなり落ち込んでいるでしょう。心身ともにダメージを負った友人の回復を願い、いたわるかえし言葉を。

最低限、これだけは

OK!
いろいろ大変だね

痛みを押しながら通院をし、事故後の対応に追われる友人は、現在進行形で心身ともに苦労の連続です。ねぎらう言葉をかけてから「手伝えることがあれば教えてね」など、メッセージを続けて。

話題を広げて

OK!
落ち着いたら温泉にでも行こうよ

遠くない未来の楽しみを提案することで、前向きになってもらうかえし言葉です。とくに温泉なら療養にもうってつけ。明るい話題で友人を励ましたい。そんな気持ちも伝わります。

こんなパターンも

OK!
何か不便なことがあったら手伝うね

けがをしていると日常生活も送りづらいはず。手を貸してくれる人がいれば、友人の不安も少しは解消されますね。「買い出しを手伝うから」「病院の送り迎えしようか」など具体的に提案しても。

言っていませんか？
NG!
車の修理代大変じゃない？

修理代も経済的な打撃であるのは確かでしょうが、目の前にいるのはけがをした友人。お金の心配をするよりもまず、相手をいたわることが先決です。不安に感じている友人の気持ちに寄り添い、不安を解消できるようないたわりの言葉をかけましょう。

02 悲しい報告⑤

愛犬を亡くしてしまって……

▶ ペットを亡くした報告を受けたら？

学生時代から一緒にいる、家族の一員の愛犬。その愛犬が死んでしまい、友人は食事も喉を通らないなど、目もあてられないほど憔悴《しょうすい》しきっています。友人のつらさを少しでも癒《い》やすには、どんな言葉をかけるのがいいのでしょうか？

STANDARD これだけ覚えて！

そうだったんだ。
つらいね

言葉を尽くすよりも、話に耳を傾けたほうが相手の気持ちも落ち着くことがあります。「今日はたくさん泣いてもいいよ」「なんでも聞くよ」「思い出話をいっぱい聞かせてほしいな」と、相手に寄り添い、傾聴の気持ちを伝えてもいいですね。

相手を思いやって

OK!

○○さんの家族でワンちゃんも幸せだったよ

悲しみを消化するには、まだ時間がかかる友人の気持ちに寄り添ったかえし言葉を。愛犬も幸せだったと言えば、少しはつらさが癒《い》え、少しずつでも前向きになれるかもしれません。

丁寧に

OK!

お悔やみ申し上げます。とても寂しいですね

「お悔やみ申し上げます」「ご冥福をお祈りします」は人だけでなく、家族のように愛されていたペットにも使えます。ただし堅い印象があるので年上の友人や目上の人に対して使うのがベター。

こんなパターンも

OK!

長生きできたのは
○○さんが大切に育てたからだね

大往生で亡くなったのならば、長年一緒に暮らした分、友人の喪失感も大きいでしょう。友人のおかげで長生きできたと伝えて、少しでも相手が前を向けるようなかえし言葉を。

言っていませんか？

NG!

また素敵なワンちゃんとのご縁があるといいね

家族にかわりはきかないように、友人にとって愛犬にかわる存在はいませんね。なおさら相手を落ち込ませるかも。こんなときはとくに相手の気持ちを思いやった言葉を選びたいですね。

02

悲しい報告⑥

昔の嫌な思い出があるんだ

▶ 過去の告白を受けたときは？

子どもの頃のいじめが、今も心の傷になっていることを告白した友人。あなたを信用して、勇気を出して打ち明けてくれたのでしょう。そんな友人に寄り添い、裏切るようなことはしないという思いが伝えられるかえし言葉は？

子どもの頃の
嫌な思い出があって

STANDARD

これだけ覚えて!

つらかったね。
話してくれてありがとう

重い話題をもち出すことに、友人も躊躇《ちゅうちょ》したはずです。そのためらいを軽くできるような言葉を、まずかけられるといいですね。そして思い出すのもつらいことを、話してくれたことに感謝しましょう。告白したことを後悔させない言葉がけを。

がんばりを受けとめて

OK! **つらさを抱えながら、がんばってきたんだね**

相手はつらさや不安な気持ちを抱えながら大人になったことでしょう。その労苦を友人として受けとめるかえし言葉です。相手が心の傷と向き合ってきたことを肯定するよというあたたかな気持ちをもって言えるといいですね。

自分の思いも込めて

OK! **あなたの味方だよ**

告白をきっかけに距離を置かれたり、色眼鏡でみられたりすることが友人にとっての恐怖でしょう。友人のトラウマを理解したうえで、これからもそばにいるよと真摯に伝えましょう。

こんなパターンも

OK! **つらくなったら声をかけて**

話を聞くことしかできないかもしれないけれど、つらいときは受けとめるよと相手に伝える方法です。寄り添う気持ちが届き、友人も安心できるかもしれません。

言っていませんか？

NG! **いっぱい遊んで、パーっと忘れようよ**

友人は、ちょっとした気晴らしでは癒《い》えないくらいの心の傷を長年抱えています。こう言われたら、さらに落ち込んだり、反感を覚えたりするでしょう。無責任な提案はしないのがベターですね。

COLUMN 04

デリケートな質問をしていませんか？結婚の報告にこそ注意して！

おめでたい結婚の報告。つらく悲しい死去の報告。冠婚葬祭の報告はさまざまな感情がつきものです。

お悔やみは相手に寄り添い「ご愁傷様でした」など定型の言葉が使われやすい場面ですが、気をつけたいのは結婚の報告を受けたときです。

深く聞きづらい離婚の報告ならわかるけれども、結婚はハッピーな話題だからいろいろ質問をしても問題ないと思われがちです。

しかし「結婚式はどこであげるの？」「子どもが楽しみだね！」なんて言葉を遠慮なくかけていませんか？

あなたを招待する予定ではないのに「結婚式は？」と尋ねられると、相手は気まずい思いをしてしまいます。妊娠や出産も、個人や夫婦間の考えや健康状態を理由に、口にしたくない人も多い話題です。

悪気はなくても、デリケートな部分に踏み入ってしまいがちなのが、結婚についての報告なのです。

結婚の報告を受けたときは、相手が話してくれるまでは待ち、そして、「お祝いをしたいから、ほしいものがあったら教えてね」など、相手が話しやすい配慮のあるかえし言葉を選べるといいですね。

5章

ちくちく言葉のかえし言葉

5章

ちくちく言葉のかえし言葉おさえどころ

第三者の視点をもってやわらかく

嫌味ごとを言われたり、悪い決めつけをされたりすると、嫌な気持ちになりますね。誰しもあまり遭遇したくない場面でしょう。

ちくちくと棘《とげ》のある言葉を投げかけられると、悲しくなったり、腹が立ったりして、反論をしたい気持ちが湧いてしまいますね。でも、まずは一呼吸。真に受けて落ち込むのではなく、さらりと流してしまいましょう。受けとらなかった悪口は、言った人に返っていくとも言います。

受け流しても、さらに攻撃を受けてしまったら？　そんなときは、傷ついた気持ちをすべてのみ込む必要はありません。そのかわり、自分の心境を上手に伝える方法を考えてみましょう。

「そんな言い方、性格が悪いよ！」と相手の人格を否定する表現では、余計に険悪な雰囲気になってしまいます。

相手個人を攻撃するのではなく、「そんなことを言われて、嬉しい人はいないんじゃないかな」「私だけじゃなくて、他の人も否定されたようで悲しいな」などといった、第三者をもちだしたやわらかな表現なら、相手を怒らせることなくあなたの気持ちをうまく伝えることができますね。おだやかな伝え方なら、相手もあなたの気持ちをきちんと受けとめてくれそうです。

また、「あなたはそう思ったんだね」「そんな受けとり方もあるんだね」といった、自分と相手との間に線を引くかえし言葉も有効です。あなたはあなたで、私は私だからとやわらかく少し距離を置くこともできますね。

遊び心のある言葉もちくちく言葉の対処法

繰り返し、ちくちく言葉をかける人には、ユーモアで返すのもひとつの方法です。

ひとつの会社に長く勤めていて、転職しないのかと何度も尋ねられていた人の話です。

「何年この会社にいるつもり？」と嫌味まじりに聞いた上司に対して「100年！」とあっけらかんと答えたそう。予想外の、あまりに軽妙な回答をされ、たじたじと気まずくなってしまい、それから上司は嫌味ごとを言わなくなったとか。

ユーモアで包み込んでしまえば、ちくちくした言葉をはね返すことができるのですね。相手は「暖簾《のれん》に腕押し」と思ったかもしれません。これは遊び心の完全な勝利。嫌なことを言われると余裕はなくなってしまいがちですが、それでも落ち着きとユーモアを忘れずにいたいものです。

ちくちく言葉をかける人は、もしかしたら他人を気遣う余裕がなくなっているのかもしれません。少し時間と距離をおけば、また仲よくなれる可能性もありますよ。

01

嫌味ごと①

悩みがなさそうでいいね

傷ついてしまって、どう反応していいのかとっさには浮かばない嫌味の言葉。険悪な雰囲気にならず、自分の気持ちを伝えられるかえし言葉を学びましょう。

▶ 性格について嫌味を言われたら?

いつもくよくよしている友人に対し、あなたは悩みを表に出さないタイプ。そんなあなたに、友人からの一言。悩みのない人間なんていないのに、なんだかバカにされた気分。こんな場合、なんと返せばいいのでしょうか？

悩むことがなさそうでいいなあ
ハア

STANDARD

これだけ覚えて!

うん、いつも幸せだよ

あなたにも悩みがあることをわざわざ伝えても、ますますどんよりとした雰囲気になってしまいそう。そんなときはあなた自身を全肯定して、場に明るい空気を送りましょう。ときには相手に合わせすぎず、言葉を受け流すことも大切ですよ。

ポジティブな意見を

OK! **自分で自分の機嫌をとるのが得意なだけだよ**

もやもやしてしまう一言には、ポジティブなかえし言葉が一番。「そうだね」と相手の言葉を一度肯定してから、相手を否定することなく、悩みがなさそうに見える理由を伝えましょう。

わざとおどけて

OK! **寝たら全部忘れるタイプだからね**

その話題に終始したくないときは、冗談を言って終わらせるのもひとつの方法です。相手の一言をこれ以上引っ張ることなく、済ますことができますよ。

まじめな態度で

OK! **そう見えるよう、明るく振る舞っているんだ**

悩みがなさそうにみえるのは、あなたがまわりの人たちに余計な心配をかけないための気遣いですよね。気配りの結果であることを、茶化すことなく伝えてみれば、あなたをみる友人の目が変わるかもしれません。

言っていませんか？

NG! **ちょっとしたことで悩むよりはいいと思うよ**

たとえ正論だとしても、落ち込みがちな相手の短所を突くようなかえし言葉は、傷つけてしまうだけ。精神的にまいってしまうような攻撃的なものではなく、配慮のあるかえし言葉を選びたいですね。

01
嫌味ごと②

お金に細かいよね

▶ 金銭感覚に嫌味を言われたら?

友人と食事をし1円単位まで割り勘にしたら、こんなことを言われました。貸し借りをつくりたくなかったから、細かく割り勘にしたのに……。そもそもお金に細かいって悪いこと？　こんなとき、どんなかえし言葉がいいのでしょうか？

1円単位まで
お金に細かいよね

STANDARD
これだけ覚えて!

お金のことは しっかりしておかないとね

お金に細かい＝ケチな印象がありますが、金銭感覚がちゃんとしていることの証拠でもありますね。「お金のことであなたからの信用をなくしたくないんだ」などとつけ加えれば、相手も納得しやすくよりよい関係が築けるかもしれません。

希望を伝えて

OK!

「金銭感覚がしっかりしている」って言ってほしいな

金銭感覚は人それぞれ。たかが1円とはいえ、お金の話は友情にひびが入りかねませんね。友達との関係を大切にしたいからこその行為なので、自分自身を肯定する一言を。

意見を伝えて

OK!

**あとでもめるより
きっちりしていたほうが絶対いいよ**

金銭でもめごとが起こると、引きずります。トラブルを防いで、友情を大切にしたい思いを伝えてください。

こんなパターンも

OK!

昔、経理の仕事をしていたからかな

金銭にきっちりしている理由を、あなたの性格ではなく経験に求める方法です。経理の経験がなければ「レジ打ちのバイトをしていて、1円の間違いも許されなかったから」と言えばお茶を濁せますよ。

言っていませんか？

NG!

大雑把《おおざっぱ》よりいいかなと

このかえし言葉は余計なお世話と捉えられかねません。金銭感覚は人によって異なります。相手の性格に踏み込むような言い方はトラブルの元。避けたほうがいいですね。

01
嫌味ごと③

昔はもっと きれいにしていたよね

▶ 外見についての嫌味を言われたら？

3人の育児に、家事に、仕事にと大忙しのあなた。産前は毎日していたお化粧も、今ではそんな余裕はなし。夫も悪気はないのでしょうが、指摘されるとショック。美しくありたい気持ちはあるけれど、難しいことを棘《とげ》なく伝えるには？

若いときはもう少しちゃんと
お化粧していたよね

STANDARD
これだけ覚えて!

私は「今の私」も好きなんだけどなあ

夫に同意しても、反論しても、前向きな解決策にはならないでしょう。化粧をしていなくても、あなたの価値は損なわれませんから、今の自分を肯定するかえし言葉を。とり繕《つくろ》う感じではなく、本心からそう思っている雰囲気を出しながら伝えると効果的です。

自分の思いも込めて

OK!

私よりも今は子どもがかわいいからねえ

「忙しいから」「疲れているから」などとまじめにあなたの実情を訴えても「努力すればいいじゃない」などと反論されては、余計に悲しくなりそう。話題をそらす言葉を伝えて。

気持ちを伝えて

OK!

自分でもちょっと気にしてるんだからやめてよー

言われて嬉しくないことは、口に出して伝え相手に気づいてもらいましょう。家庭円満であり続ける秘訣にもなりそう。

言っていませんか?

NG!

あなただって、人のこと言えないでしょ

太った、しわが増えた、髪の毛が薄くなったなど、生きて年を重ねる限り、外見は変わっていくもの。衰えた部分をあげつらうのではなく、変化は当然としてお互い受け入れていく意識をもって。

容姿の話題については?

太っている・やせている、目が大きい・小さい、脚が長い・短い。容姿は人それぞれですが、それをジャッジすることは「ルッキズム」(外見至上主義)と呼ばれて、今ではよくないこととされています。人の容姿はそれぞれに違います。冗談や褒め言葉のつもりであっても、言及しないほうが無難でしょう。

01
嫌味ごと④

どうせ暇なんでしょ？

時間の使い方についての嫌味を言われたら？

あなたは自分でスケジュールを組みやすいフリーランスとして仕事をしています。平日でも都合をつけることができるので、友人からこんな心ない一言を言われてしまいました。険悪にならず、あなたの気持ちが伝わる返事をしたい！

ムッ
どうせ毎日暇なんでしょ？

STANDARD
これだけ覚えて！

最近○○にはまって大忙し！

友人に考えを改めてもらおうと「仕事が忙しくて暇じゃない」なんてまじめに返さなくても大丈夫。今夢中になっているものがあると伝え、暇どころか充実した日々を送っていると、生き生きと伝えましょう。好きなものの話題に移し、会話を楽しんで。

反論してみる

OK!

えー、そうかな。暇じゃない大人っているかなぁ

嫌なことを言われたとき、波風を立たせない程度に反論するのも処世術のひとつ。実際に、時間をもて余す社会人は極少数でしょう。ただし、ケンカ腰にならないよう、穏やかな言い方で。

事実を言ってみる

OK!

休日は家の掃除とかしているよ

まずこのかえし言葉の前に「仕事で忙しい」と添えて、暇ではないことをわかってもらいましょう。友人がひとり暮らしをしていたり、育児や介護をしていたりすれば、家事の大変さを共感してもらえるかも。

ユーモアを交えて

OK!

寝るのに忙しくって

ただ寝だめと伝えるだけだと暇であるように聞こえ、さらに嫌味を重ねられるかもしれません。ユーモアを交えて「寝るのに忙しいんだ」と笑顔で告げて、この話題を終わらせてもいいでしょう。

言っていませんか？

NG!

○○ちゃんは素敵な休日を過ごしているんだろうね

嫌味に嫌味で返すのは、楽しい会話ではありませんね。皮肉の応酬はさらに言い返されてしまう可能性も……。対抗心はぐっとおさえて聞き流すくらいの気持ちをもって、穏やかに対応しましょう。

01
嫌味ごと⑤

そんな安い給料でいいの？

▶ 収入について嫌味を言われたら？

大手企業で働く友人と収入の話題に。相手よりあなたの年収が低そうなことがわかるとこんなことを言われました。あなたは今の仕事が好きで、やりがいを感じています。こんなとき、どう対応するのがいいのでしょうか？

そんなに安い給料でつらくない？

STANDARD
これだけ覚えて！

私はやりがいを感じて満足しているよ

仕事のやりがいは、会社の大小にかかわらず感じることができます。それは働いている人なら、一理あるとわかるはず。友人にも響くものがあると信じて、本音をシンプルに、あなたの言葉で伝えて。このかえし言葉なら、友人もこれ以上悪く言いづらいでしょう。

一般論として

OK!

お給料に口を出されて嬉しい人はいないと思うな

あなた個人が傷ついたと言うと角が立つかもしれません。大多数の人が感じるであろう一般論として、相手の発言をやわらかく否定するかえし言葉です。穏やかな口調で伝えてください。

話題を変える

OK!

もしかして転職先紹介してくれるの？　やったね！

収入から焦点をそらしましょう。相手が踏み込んできたのだから解決策があるのだろうと、どんどん他の方向に話題をずらしてしまう方法です。冗談だと伝わるよう明るく言うのがコツ。

こんなパターンも

OK!

確かにお給料はちょっとね……。
今の仕事で年収１億だったらな～

こんなときは冗談めかしてこう伝えてはいかがでしょうか。ただし、あなた自身や仕事のことを卑下するようなことは言わないでくださいね。

言っていませんか？

NG!

さすが大企業！

意趣返しのつもりかもしれませんが、これではあなたが傷ついたことが伝わりません。さらに自分を否定しているようにも聞こえますので、相手を立ててあなたが下手《したて》に出る表現は避けて。

01

嫌味ごと⑥

そんなもの おもしろいと思ってる？

▶ 趣味について嫌味を言われたら？

最近夢中になっていることを尋ねられ、特撮が好きだと伝えると、からかわれました。人の好きなものを茶化すなんて……！　でも、その気持ちをそのまま伝えても解決には至らなそう。こんな場合、どう対応するのがいいのでしょう？

特撮とか、おもしろいと思ってるんだ！
えっ

STANDARD

これだけ覚えて！

楽しいよ。あなたもどう？

友人がこんな発言をしたのは、単にあなたの趣味のことをよく知らないからかもしれませんね。そんな相手に興味をもってもらえるよう、シンプルに誘ってみるかえし言葉です。スマートフォンに写真や動画があれば、その場で一緒に観るのも手。

最低限、これだけは

OK!

あなたのお眼鏡にはかなわなかったか～

あなたの趣味の魅力を語ったところで関心を示さなそうな相手には、冗談めかしたこの一言で、話題を終えるのもひとつの方法。続けてスムーズに次の話題に転換できるとなおいいですね。

おすすめをして

OK!

意外に物語も深いんだよ！

ここぞとばかりによさを語ってみることで、相手の興味を引くことができるかもしれません。ただしマニアックすぎる説明は、相手から距離を置かれる可能性もありますので、ほどほどに。

言っていませんか？

NG!

何も知らない人に言われたくなーい！

友人は特撮に詳しくないから、茶化しているのかも。そんな相手を頭ごなしに否定してしまうと、お互いに険悪な雰囲気になってしまいますね。穏便にこの話題を切り抜ける方法を探りましょう。

「推し」の話の上手な聞き方

友人の語る、大好きなアイドルやスポーツ選手、キャラクターといった「推し」の話は、あなたも同じ熱量がないと反応に困ってしまいがち。そんなときは、相手の「推し」と自分の好きなものごととの共通点を探してみましょう。たとえばあなたが旅行好きなら「あなたの推しの行っていたロケ地、私も行ったことがあるよ」という具合。話題がふくらみ、充実したひとときになりそうですね。

01

嫌味ごと⑦

あなたは得だよね

▶ 成果について嫌味を言われたら?

営業部に所属しているあなた。毎月発表される個人成績であなたが部内トップに輝いたところ、同僚からねたみを含んだ言葉をかけられました。真摯《しんし》に仕事をしているだけなのに……。嫉妬をそらし、あなたの実力であることを知ってもらうには?

STANDARD

これだけ覚えて!

今回はたまたまです

軽く謙遜《けんそん》する方法です。今回は偶然運がよかっただけと伝えれば、相手も気持ちをのみ込んでくれそう。へりくだりすぎると、「そんなつもりで言ったわけではないのに」と相手を困らせるので、相手の負担にならないよう、軽く言うのがポイントです。

手短に

OK!

がんばりました。努力の成果だと思っています

相手はあなたを羨ましく思っているだけかもしれませんね。あなたの努力の成果であることは間違いない事実。自分ががんばった結果だと手短に伝えてもいいでしょう。

こんなパターンも

OK!

いいお客さんに恵まれて
という意味では得をしていますね

今回の好成績は、取引先といい関係を築けたことも一因。取引先のことをもち出せば、同僚もこれ以上の嫌味は言いづらいはず。

言っていませんか？

NG!

〇〇さんの努力にはかないません

謙遜したうえで相手の努力を称《たた》えるメッセージのようですが、「私は少ない努力で結果を出しました」と少し傲慢《ごうまん》な発言に聞こえてしまうかも……。謙遜する場合も言葉を選びましょう。

ねたみの感情をコントロールするには？

相手の幸せを素直に喜べない、ねたんでしまう感情は誰にもあります。ねたましい気持ちに振り回されると、自分にも周囲の人にもいいことはありませんね。「ずるい！」ではなく「羨ましいな」と口にして気持ちを一度コントロールすると、関係がギクシャクすることも減りそうです。

01 嫌味ごと⑧

つまらないなあ

▶ すごし方について嫌味を言われたら？

交際3年目のあなたたちは、いつものように部屋で映画を観ています。すると、相手から「つまらない」発言。それって映画のこと？　この状況？　いずれにしろ、あなたがそう言われた気になりました。重い空気を変えるには？

STANDARD

これだけ覚えて！

何か楽しいことしようよ。
何したい？

映画なのか、この状況なのか、それとも他のことなのか。恋人が不満に感じていることがどれであっても、ここはプラス思考。退屈の原因を探るより相手の希望を尋ねて、雰囲気を変えたほうがいいでしょう。具体的な要望ながければ、あなたが提案してみて。

気持ちを聞いて

OK!

嫌なことでもあった？

恋人はあなたに自分の気持ちを聞いてほしいだけかもしれませんね。ここは聞き役になって、相手の気持ちに耳を傾けてください。より深い関係を築けるきっかけにもなりそうです。

理由を尋ねて

OK!

たしかに単調な映画だね

相手の「つまらない」の真意をたしかめるかえし言葉。退屈の原因が映画の内容なら、同意してくれるでしょう。そうでなければ、どうして退屈なのか聞いて解決策を探してみるといいですね。

具体的に提案

OK!

散歩にでも行く？

不機嫌の原因がわからない場合、気分転換になるアクションを提案するのはいかがでしょうか。他にも「お菓子食べる？」「買い物にでも行こうか」「別の映画に変える？」など、相手の好きなことに誘ってみてください。

言っていませんか？

NG!

じゃあ別のことしていたらいいんじゃないかな？

あなたと一緒にもっと楽しいことをしたいから発した一言。それなのに、ひとりですごせばいいとばかりに突き放してしまうと、かえって落ち込ませてしまいます。気持ちをくんで歩み寄る言葉を。

01
嫌味ごと⑨

お金がもう少しあれば……

▶ 家計について嫌味を言われたら？

妻が家計簿を見ながらつぶやいた一言。物価は上昇しても給料がなかなか上がらない状況です。家計のやりくりをがんばる妻をねぎらい前向きになっもらえるようなかえし言葉はどんなもの？

お金がもう少し
あればなあ

STANDARD
これだけ覚えて！

いつもやりくりしてくれて ありがとう

予算を立てたり、家計簿をつけたり、買うものを吟味したりと、家計のやりくりはとても大変。それを担う妻へ感謝の言葉を伝えるかえし言葉です。心を込めて伝えるといいですね。「ありがとう」と「ごめんなさい」は人間関係の潤滑油です。

協力の姿勢を見せて

OK!

何か僕にできることはあるかな？

節電や節水など、日々の暮らしのなかでできることはたくさんあるはず。あなたも節約のためにできることを確認してみましょう。協力姿勢を見せれば、妻の不満がやわらぐかもしれません。

こんなパターンも

OK!

晩酌、減らしてみるよ

晩酌を減らす、ランチを外食ではなくお弁当にするなど、妻が家計の負担と感じていることのなかで、あなたができる節約を始める宣言をしてみましょう。お弁当はあなたがつくれば、妻からの信頼も厚くなりそう。

気持ちを受けとめて

OK!

ふがいなくてごめんね。がんばるよ

不景気が続くなか、給料が上がらないのはあなたのせいではありません。でもそれを理解してもらえないなら、お詫びをして妻の気持ちを受けとめて。

言っていませんか？

NG!

そうだねえ。宝くじが当たったら何したい？

家計の采配に365日尽力してくれている妻。経済的な不安から、この一言を発したのでしょう。能天気な発言をすると、あなたと妻との間に温度差が生まれ、さらに険悪な空気が流れそう。

02
悪い決めつけ①

B型でしょ?

思い込みの強い人から一方的に決めつけられたことはありませんか? そんな相手を否定しても、会話はうまく着地しませんね。柔軟なかえし言葉で。

▶ 血液型について指摘されたら?

ネガティブな印象を植えつけられがちな、日本人のB型観。B型のあなたは、何度もこのステレオタイプな断定をされて飽き飽き。都度説得するのも大変ですが、先入観をもたれ続けるのも嫌。決めつけをやめてもらうには?

STANDARD
これだけ覚えて!

○○さんは何型?

返答に困ったときは、質問をオウム返しにしてみましょう。決めつけだけでなく「今日、何が食べたい?」といった漠然とした質問や、あまり聞かれたくないプライベートの質問など、返事をしづらい問いに使いやすいテクニックです。

最低限、これだけは

OK!

○○さんもＢ型？　輸血のときは助けてね！

ネガティブな話題を言われる雰囲気があるなら、その前にこのかえし言葉を発し、予防線を張るという手段もあります。明るく言うと、相手もマイナスな話題はもち出しづらくなるでしょう。

雑学と一緒に

OK!

Ｂ型って２番目に蚊に刺されやすいらしいね

Ｂ型であることに踏み込ませないのが、カギです。マイペースなど内面的な性格診断ではなく、他のことに主題をずらし、論点をうやむやに。

こんなパターンも

OK!

血液型って調べたことがないんです

血液型といえど、自分の体にかかわることは究極のプライバシーですから、話したくない人もいるでしょう。一線を引きたい相手なら、さらりと知らないふりをしてしまうのもひとつの方法ですね。

言っていませんか？

NG!

血液型で性格診断をするのって日本人だけなんだって

あなたがＢ型にネガティブなイメージをもたれているのが嫌なように、相手も日本人の典型と言われたらいい気はしないでしょう。嫌味だと捉えられかねないかえし言葉は、やめたほうが無難ですね。

02

悪い決めつけ②

あなたよりつらい人がいるから

▶ つらさについて判断されたら?

話し合いの末離婚したあなたは、精神的にかなり消耗しました。そんなときに友人が「家庭裁判所で離婚調停をした○○さんのほうがつらい」と言います。つらい気持ちは簡単に比較できないことを、どう伝えればいいのでしょうか?

○○さんのほうがつらいから

STANDARD

これだけ覚えて!

**○○さんもつらいかもしれないけど
私もつらいんだ**

第三者につらさを比較されることも、勝手に軽んじられるのも、気分がいいものではありませんね。他人のつらさを認めながら自分もつらいと告げましょう。つらさは人それぞれであり、「比べられるものではないよね」と添えると波風が立ちません。

手短に

OK! **離婚はみんな人それぞれにつらいよ**

説明をしても埒《らち》の明くことのなさそうなときは、さっと話題を切り上げられるかえし言葉を。相手の発言を否定も肯定もしない「人それぞれ」は使い勝手のいいフレーズですよ。

自分の思いも込めて

OK! **つらさ比べをされると余計につらいな**

相手の発言に対して、あなたが悲しい気持ちになったことを正直に伝える方法です。感情的に言うと相手も嫌な気分になりかねませんので、丁寧に言えるといいですね。

仲のいい相手なら

OK! **友達なら寄り添ってくれよー！**

甘えられる相手なら、こんなかえし言葉もあり。誰だって愚痴を吐き出したいときはあります。素直に聞いてほしい、優しくしてほしいとお願いしてみましょう。

言っていませんか？

NG! **離婚したことない人はいいね**

つらく悲しいときに心ない言葉をかけられてしまうと、つい感情的になりがちです。「私の気持ちなんてわからないでしょう」と相手を突っぱねるのではなく、深呼吸をして落ち着いた対応を心がけてください。

03

陰口

あの人いまいち仕事ができないよね

正面から「やめて」と言うと、正義感をふりかざしていると思われそうで塩梅《あんばい》が難しい陰口の止め方。どんなかえし言葉で陰口から距離を置けばいい?

▶ 共通の知人などの陰口を聞いてしまったら?

仲のいい同僚たちとカフェで昼食をとっていたときのこと。ある上司を名指ししての悪口大会が始まってしまいました。あなたはその上司に悪い感情を抱いておらず、同意はしたくありません。どんなかえし言葉がいいのでしょうか?

○○さんって
仕事いまいちだよねー
うんうん

STANDARD
これだけ覚えて!

そうなの?

同意はしたくないけれど、否定して場の空気は乱したくない。そんな場合は「そうなの?」と曖昧《あいまい》に疑問形で返してみましょう。「そうなの?」「そうなんだ」「ふうん」といったはっきりしないあいづちで、のらりくらりと切り抜けるのも処世術と言えるでしょう。

曖昧に

OK!

そんな考え方もあるんだね

これも同意も否定もしないかえし言葉。これだけを言うにとどめて、そこからはあなたの意見は伝えずに聞き役に徹して。消極的な姿勢ですが、場の空気が悪くなることはないでしょう。

自分の意見も込めて

OK!

でも話してみるといい人じゃない？

上司をフォローしたいのであれば、さらっとあなたの意見を言ってみるのも手。押しつけがましい響きだと同僚が反発するかもしれないので、あくまでさりげなく伝えてみてください。

こんなパターンも

OK!

個人的にはそうではないと思うよ

悪口は聞いていて気持ちのいいものではありませんし、その仲間に加わりたくもないでしょう。話のわかる同僚なら、きっぱり否定して悪口を止めさせるのもいい方法です。

言っていませんか？

NG!

なるほど

なんでもあいづちを「なるほど」にしてはいませんか？　するりと出る口ぐせのような言葉なので深く考えての発言ではないかもしれませんが、他人からは同意したと捉えられかねません。こういった場では、注意して気軽に出さないほうが無難ですね。

COLUMN 05

俯瞰《ふかん》して相手の状況を見極めるのがちくちく言葉回避の奥義！

ちくちく言葉のなかでも、否定したり抵抗したりしたくなるマウンティング。マウンティングとは、見栄を張って相手より自分のほうが立場が上だと示す言動のこと。もともと動物の行動を指して言う言葉でしたが、昨今は人の振る舞いにも使われますね。

マウンティングをされたとき、相手と同じ土俵に乗ってしまわないで。俯瞰して神様のような視点から相手を冷静に眺めると、どうしてマウンティングされたのか、理由がつかめてきます。この理由を見極めることがマウンティングを回避するポイント。

つぶさに相手の発言をたしかめてみると、その人がマウンティングをしたことに対して、劣等感やプライド、こだわりをもっていることが見えてきませんか？

一生懸命勉強していい学校を卒業したから、学歴マウンティングをしていたり、婚活がうまくいっていないから、既婚者へマウンティングしていたり。

そんな相手に「学歴なんて関係ないよ」「今どき結婚しているかどうかなんて」と言ってしまうと、火に油を注いでしまいますね。

マウンティングには、相手のこだわりに傷をつけないかえし言葉を心がけましょう。相手の大切にしていることを尊重する気持ちをもてば、どんなちくちく言葉にも対処できますよ。

6章

ビジネスのかえし言葉

6章

ビジネスの かえし言葉おさえどころ

正しい敬語はビジネスでのかえし言葉の基本

ビジネスの場面でのかえし言葉は、まず定型文をマスターしましょう。基本の定型文を使いこなせるようになってから、自分の表現をプラスできるといいですね。

定型文の土台となるのはやはり正しい敬語です。敬語は大きく尊敬語、謙譲語、丁寧語に分けられます。尊敬語は目上の人が主語のとき、謙譲語は自分や身内が主語のとき、丁寧語は語尾に「です」「ます」「ございます」をつける、というものです。

敬語の誤用は、主に次の3つに分けられます。

①尊敬語と謙譲語を混同している

×「資料を拝見していただけますか？」

○「資料をご確認ください（ご覧ください）」

「拝見する」は謙譲語で、相手の動作には使えません。

②身内を敬う

×「弊社社長がいらっしゃいました」

○「弊社社長が参りました」

外部の人に対して身内の人の行動を言うときは謙譲語を使います。

ちなみに役職名は敬称にもあたるので、自分の会社の社長を相手に紹介するときは「山田社長」ではなく「社長の山田」と言うのが正式です。

③敬語を重ねる（二重敬語）

×「ご担当者さまがおっしゃられる」

○「ご担当者さまがおっしゃる」

尊敬語の「おっしゃる」と「れる」が重なってしまっています。こんな二重敬語は適切でない使い方です。

「させていただく」はNG？

最近よく耳にする「させていただく」という敬語表現ですが、使い方には注意が必要です。

本来、相手に許可をとって行う動作に使われるもの。相手の自宅に訪問したとき「上がらせていただきます」と言うのは、正しい使い方です。

しかし、相手に許可をとる必要のない行為に使うのは不自然です。「結婚させていただく」「お渡しさせていただく」などは、相手の許可が必要のないものなので、「結婚いたします」「お渡しします」と言いかえましょう。

正しい敬語の使い方を心がけて、かえし言葉もレベルアップできるといいですね。

01
あいさつ①

異動のあいさつにまいりました

どんな場面でもあいさつでは好印象を与えることが大切ですが、ビジネスシーンならなおさら。相手からの信用が得られるかえし言葉をご紹介します。

▶これからもかかわりのある異動のあいさつには？

取引先や社外の人から突然の異動や転職のあいさつ。相手が今後もかかわりそうな部署や会社に移り、これからも関係を継続させたいときは、「これまでありがとうございました」に続けてどんな言葉を発すればいいのでしょうか？

このたび異動することになりごあいさつに参りました

STANDARD
これだけ覚えて!

またお仕事をご一緒する機会があることを楽しみにしております

今後の期待を込めたかえし言葉です。ただし、いきなり「今後もおつき合いをしたい」とストレートに伝えるのは勇み足に聞こえそう。まずはお世話になったお礼を述べてから、あなたの意欲が感じられるメッセージを添えるのがいいでしょう。

将来に期待して

OK!

新天地でもますますのご活躍をお祈りしています

メールでの返信なら、文末にこのメッセージを。活躍を願う一言です。かなり目上の相手の場合は「祈念申し上げます」と、かしこまった表現にすれば、より丁寧ですね。

丁寧に

OK!

今後ともご指導ご鞭撻《べんたつ》よろしくお願いいたします

目上の人に使いたい定型文。あなたのもとでもっと学びたいという誠実な思いが伝わりますね。これからも懇意にしたい気持ちも届けられ、目をかけてもらえるかもしれません。

昇進・栄転のときは

OK!

ご昇進(ご栄転)おめでとうございます

相手が昇進や栄転をすることが明らかな場合は、お祝いの言葉を。昇進は同じ部署で地位が向上すること、栄転は以前よりもいい地位の部署や会社に移ることを指します。言葉のお祝いは金品ではないので、気兼ねなく受けとってもらえますね。

言っていませんか?

NG!

いいなー。こちらはここから抜けられないままですよ

相手が仲のいい同世代だったとしても、あいさつにかこつけて自分の不満を言うのはNG。相手にあなたの会社がよくないと伝えているのと同義です。この場の主役は相手ということを忘れないで。

01
あいさつ②

転職することになりました

▶ 転職のあいさつには？

突然伝えられる異動や転職のあいさつ。取引先の人が今後仕事でかかわらなさそうな部署や会社へ移ることになりました。これからは交流がなさそうでも、今までたくさんお世話になった相手にどのような返事をするのがいい？

転職につき退社することになりました

STANDARD
これだけ覚えて！

〇〇さんにはこれまで大変お世話になりました

今後会う可能性は低いかもしれませんが、これまでお世話になった相手。最後だからこそ心に残るあいさつがしたいですね。思い出を振り返り、印象的なエピソードを伝えてお礼を言いましょう。寂しい気持ちになりそうですが、笑顔は忘れずに。

最低限、これだけは

OK!

ご活躍のお噂を聞けることを楽しみにしています

これからの活躍を期待していることを伝えるかえし言葉です。噂が広まるくらい大きく飛躍してほしいと、応援している気持ちが込められます。

こんなパターンも

OK!

寂しくなりますね

仕事上のつき合いはなくなっても、今後も交流したい相手なら、気持ちをまっすぐに伝えてみては？　こう言われて嫌な気持ちになる人はいないはず。仕事以外でいい関係が継続できるかも。

話題を広げる

OK!

新しい業界（部署）の話もまた聞かせてください

一見関係なさそうな異動や転職でも、いつまた接点が生まれるかわかりませんよね。せっかくできたご縁を切ることなく関係を継続させられる、言って損はないかえし言葉です。

言っていませんか？

NG!

え、何かあったんですか？

転職の理由には給与や社内事情など、あまり人に知られたくないことが含まれているかもしれませんね。下世話な勘ぐりは控えて、根掘り葉掘り聞かないこともマナーといえそうです。

01
あいさつ③

これから担当する者です

▶ ビジネスでのはじめましてには?

つき合いの深い取引先の人が異動になり、後任者とともにごあいさつに来社してくれました。前任者と良好な関係を結べていたので、後任者にも期待しているあなた。これから後任者ともいい関係を築くためにどんな言葉をかける?

はじめまして。
これから担当させていただきます〇〇です

STANDARD
これだけ覚えて!

さらに協力関係を深めていきましょう!

前任者とあなたの関係が良好だったことが、後任者にも伝わるかえし言葉です。この一言で後任者の緊張が解け、安心してあなたと接してくれそうですね。しっかり相手の目を見て笑顔で言うと、後任者からの信頼も増し、仕事がしやすくなるでしょう。

最低限、これだけは

OK!

前任の○○さんにはとてもお世話になりました

社会人として必ず言いたい、前任者のこれまでの労をねぎらう一言。このあとに前任者との仕事の進め方など具体的なエピソードを交えた話をすると、後任者の参考にもなりそうです。

具体的に

OK!

○○さんはこまめに在庫のチェックをしてくださって、助けていただいてばかりでした

具体的なエピソードを挙げ、前任者にお礼を言うかえし言葉です。さりげなく後任者に要望を伝えることもできますね。

感想と一緒に

OK!

私も心機一転、がんばります

仕事は多くの人の協力によって成り立ちます。お願いするばかりでなく、あなたの誠実な思いを伝えれば、相手もより親身になってくれるかも。「これからお仕事をご一緒できるのが楽しみです」と加えても。

言っていませんか？

NG!

○○さんじゃなくなって残念です

本心はそのとおりかもしれませんが、こんなことを言っては後任者も戸惑い悲しくなりますね。どうしても伝えたい場合は、後任の方の耳に届かないメールや電話などの方法がベターです。

02 感謝①

あなたのおかげです！

仕事で感謝されると、がんばりが認められたようで達成感があります。嬉しい気持ちを表現すれば、今後仲間との仕事もやりやすくなるかも。

▶ 同僚から感謝をされたときは？

どうしても通したいプレゼンを抱えている同僚。あなたの経験からアドバイスをすると、無事に採用されて同僚は大喜びしています。同僚の成功を祝う「おめでとう」にあなたの気持ちも添えられる言葉はどんなもの？

○○さんのおかげで助かった！

STANDARD
これだけ覚えて！

お役に立ててよかった！

相手はあなたのおかげで成功したと思っているからこそ、感謝しています。そんなときは控えめな返事をするよりも、円滑に進められた喜びを共有できるフレーズで一緒に幸せの気持ちをわかちあいましょう。「力になれてよかった」と言いかえても。

自分の思いも込めて

OK!

ありがとう。私もがんばらないと！

まずは「ありがとう」と、素直にお礼を受けとって。さらに仲間の成功で自身のモチベーションも上がったと添えてください。相手ももっと仕事をがんばろうという気持ちになるでしょう。

最低限、これだけは

OK!

○○さんの力だよ。私も勉強になったよ

あなたがアドバイスをしたとしても、成功したのは同僚の努力があってこそ。同僚の仕事ぶりが参考になったと伝えれば、相手も嬉しく思ってくれるでしょう。

親しい人なら

OK!

なんだか私まで嬉しいよ

ストレートに褒められるのが苦手な同僚の場合、直接的ではないけれど喜びが伝わるかえし言葉を。「祝杯でもあげたいね」「慰労会をしようよ」など、楽しい提案をするのもいいでしょう。

言っていませんか？

NG!

そう？　お世辞はいいから

褒められるのが気恥ずかしかったとしても、同僚の喜びや感謝に水をさし、突き放すような言い方は相手にも失礼です。素直に受けとり、場を冷やすことなく、一緒に喜べると、これからの関係もよりよくなりそう。

02 感謝②
アドバイスのおかげでうまくいきました！

▶ 後輩から感謝をされたときは？

あなたが教育係になっている後輩が、初めてひとりで仕事を完遂しての一言。成しとげたことで後輩のやる気も高まっているよう。このままモチベーション高く仕事に取り組んでほしいときは、どんな言葉をかけるのがいいでしょうか？

先輩が教えてくださった方法でうまくいきました！

STANDARD これだけ覚えて!

ちゃんと応用して、完遂できたのは○○さんの力だよ

後輩からのせっかくの言葉を、ただ受けとるのではもったいない！　かえし言葉は後輩のやる気を引き出す内容にして、相手を鼓舞させて。「粘り強い」「機転が利く」「視野が広い」など後輩の長所を少し大げさなくらいに褒めて、自信をもってもらいましょう。

アドバイスと一緒に

OK!

私だけじゃなくて○○さんの手法も今後参考になるよ

直属の先輩はあなたかもしれませんが、社内や部内には仕事の進め方の参考になる人がたくさんいるはず。具体的な名前を出して、視野を広く仕事に取り組んでほしい気持ちを伝えて。

簡潔に

OK!

おめでとう。お役に立てて嬉しいな

言葉を重ねると先輩風を吹かせているように映るときは、このくらいあっさりとしたかえし言葉でも。そのあとに続く言葉の前のワンクッションとしても使いやすいフレーズですね。

自分の思いも込めて

OK!

これからも期待しているよ

後輩には自分の方法をみつけ、仕事を進められるようになってほしいですよね。あなたが後輩を見守っているニュアンスが伝わるかえし言葉なら、相手も安心して仕事に取り組めるでしょう。

言っていませんか？

NG!

ビギナーズラックだね！

冗談のつもりかもしれませんが、後輩の努力を幸運で片づけてしまうと、せっかくの成功体験をくじいてしまいます。今後も仕事がしやすい関係でいるためにも、相手の努力を認める言葉がけを。

02 感謝③ またお仕事をお願いしたいです

▶ 取引先から感謝をされたときは？

何度もアプローチしてやっと契約できた取引先との初仕事を終え、嬉しい言葉をかけてもらいました。今後も長くつき合いを続けたい取引先です。どんな言葉を返せば誠意がしっかりと伝わるでしょうか？

ぜひまた○○さんに
お仕事をお願いしたいです

STANDARD
これだけ覚えて!

引き続きご期待に添えるようがんばります

着実に取引先との信頼関係を結びたい場合、少々控えめながらもやる気を感じさせるかえし言葉を。あなたの実直な人柄が伝わり、さらに評価してもらえるかもしれませんね。相手の目を見て言えば、意欲も表現できますよ。

意欲的に

OK!

次も力を尽くします

「次」の言葉を加えることで、引き続き相手の期待に応えたいというあなたの心意気を伝えるかえし言葉です。はきはきと伝えられるとなおいいでしょう。この気持ちを忘れることなく、仕事に励むことができるといいですね。

感謝を伝えて

OK!

こちらこそ学ばせていただき、ありがとうございます

相手からの仕事が自分の成長につながっていると伝えるお礼の一言です。次の仕事ではよりよい成果が期待できそうだと思ってもらえるはず。あなたの誠実さもにじませることができますよ。

感想と一緒に

OK!

そう言っていただけて担当者として冥利に尽きます

取引先に喜んでもらえるのは、社会人として最高のやりがいのひとつ。それを表現するかえし言葉です。返答の冒頭に使えば、相手にあなたの信頼できる人柄がしっかりと伝わるでしょう。

言っていませんか？

NG!

そうですか。それはなんの案件ですか？

まだ正式な依頼ではない段階で、第一声がこの一言だと、あまりにビジネスライクと受けとめられそう。嬉しい言葉をかけてもらった感謝や喜びを最初に伝えると、あなたらしさが伝わりますよ。

03 期待しているよ

応援

上司からの激励は、その思いに応えたいとますます力が入ります。あなたのやる気が伝わる前向きなかえし言葉を心がけ、円滑に仕事を進めたいですね。

▶上司から期待されたときは?

部署にとっても大きなプロジェクトを担当することになり、上司からの一言。こんなに重要な案件を任されるのは初めてで、上司があなたに期待していることがわかります。要望に応えたい気持ちを込められる誠実なかえし言葉は?

今度のプロジェクト
期待しているよ
○○○○
プロジェクト

STANDARD
これだけ覚えて!

ご期待に添えるようがんばります

シンプルに上司の期待に応えたいという気持ちを表すかえし言葉です。前向きな姿勢でいることを伝えるために、視線や表情、口調、声の大きさにも気を配って。あなたのチャレンジする気持ちが伝われば、上司もより強く背中を押してくれそうです。

最低限、これだけは

OK! **励みになります**

目上の人から声をかけられ、どう返事していいかわからないときに使いやすいフレーズです。またこのかえし言葉をワンクッションにすることで、その後の会話も続けやすくなりますね。

より丁寧に

OK! **いつも気にかけていただき、ありがとうございます**

普段、部下を褒めないタイプの上司なら、この機会に日頃の感謝も伝えましょう。上司があなたの気持ちを受けとめてくれれば、その後の仕事でもサポートのお願いをしやすくなりますね。

具体的に提案

OK! **経過はご報告しますので**
気になる点がありましたらご指摘ください

心配性な上司には、相手の不安を解消するかえし言葉を選びましょう。「経過はご報告します」と伝えることで、上司の安心材料となるでしょう。

言っていませんか？

NG! **私なんかに期待しないでください**

謙遜《けんそん》は美徳にもなりえますが、言い方には気をつけて。こんなかえし言葉をかけてしまったら、せっかくあなたに目をかけてくれている上司をがっかりさせてしまい、仕事がしづらくなるかも。

04 依頼①

少し仕事をお願いできるかな

仕事をしているとさまざまな依頼をされます。できれば応えたいけれど、受けられない場合も。円滑に解決するかえし言葉をご紹介します。

▶ 上司から難しいお願いをされたときは？

今日中にまとめないといけない資料を必死でつくっている夕方に、上司からの一言。受けられる状態ではないものの、断りづらい上司からのお願い……。穏便に上司に伝えるには、どんなかえし言葉を選べばいいでしょうか？

ちょっとこの仕事
お願いできるかな？

STANDARD
これだけ覚えて！

立て込んでいるので
お待たせしてしまうと思います

　あなたは締め切りが迫っている仕事にかかりっきり。そんな状況で安請け合いしては、どちらの仕事も中途半端に終わるかもしれません。不完全な仕事で問題が発生するよりも、上司の依頼を最優先に取り組めないときちんと伝えることも大切です。

自分の思いも込めて

OK!

努力しますが、次回から早めに言っていただけるとありがたいです

理解してくれる上司なら、本心をにじませたかえし言葉を。「他の上司からの依頼もあるので」などと理由を添えると、角が立ちませんよ。

希望を伝えて

OK!

明日なら可能ですが、かまいませんか？

一方的な上司の場合、事前に断りを入れておくのがカギ。受ける場合も、無理をして承諾していることをアピールして。普段どおりのスピードではできないと予防線を張っておく方法です。

現状確認

OK!

お急ぎでしょうか？

手短にあなたの状況を伝え、発展的な解決を試みる方法です。急ぎの案件ならどの仕事の優先順位を高くするのか、対応方法を一緒に考えてもらいましょう。

言っていませんか？

NG!

無理です！

内心は無理と感じていたとしても、相手は上司。どんなに仲がよくても、失礼のないかえし言葉をしてください。慌ただしくとも礼節をもった返事を心がけるのも社会人のマナーですね。

04
依頼②

もう少し安く できませんか？

▶ 取引先から難しいお願いをされたときは？

いつも注文してくれるお客さま。新製品を提案したところ、珍しく値切りの交渉をされました。もうこれ以上安くできないけれど、お得意さまだからむげにもできない。そんなときのかえし言葉は？

もう少し安くしてもらえませんか？

STANDARD
これだけ覚えて！

私ひとりの判断ではお答えいたしかねます。持ち帰って検討いたしますが……

あなたの裁量権にも限界があるでしょう。暗に会社決定であり上長の確認が必要だと伝え、相手の反応を伺ってください。語尾をぼかすことで、期待に応えることは難しいニュアンスを出すことができます。

丁寧に

OK!

**原材料費と人件費が高騰しているので、
ご理解くださいませんか？**

台所事情を明かすのは、日頃懇意《こんい》にしてくれている相手だからこそ。ぞんざいな対応をしているわけでないのが伝わります。

明るく

OK!

これ以上勉強するのは難しいですよ！

ユーモアの通じる相手なら、明るく、きっぱり断ってみるのも手です。笑顔で元気よく伝えれば、相手も気分を害さず、こちらの意をくんでくれるかもしれません。

会社の事情を正直に

OK!

**このお値段が現場の努力の結晶なので、
ご容赦いただけますか？**

新製品が生まれるまでには多数の社員が携わり、時間をかけて企画しています。検討はしてもこれ以上は難しいラインのときは、一旦真剣な態度で正直に告げるのもありです。

言っていませんか？

NG!

この倍のご注文なら検討できますけれど……

この言い方では、値引きの余地があると思わせてしまいますし相手も不快です。約束を守れる保証のない曖昧《あいまい》な条件を出さず、できないことはできないと伝えるのもビジネスでのマナーです。

05
情報の交錯①

そんな指示は聞いていません！

水かけ論になりやすい、言った・言っていないのトラブル。ありがちな問題だからこそ未然に防ぎたいですし、起こった場合もスムーズに解決したいですね。

▶ メモをとってくれない後輩には？

先日口頭で伝えたのに、メモをとっていなかった部下は初めて聞く指示だと抗議をしたそうな表情。もう一度説明し直すにしても、再び同じようなことが起こるのを防ぐため、あなたはどんなかえし言葉をすればいいのでしょうか？

そんな指示
聞いていませんよ！
えー

STANDARD
これだけ覚えて！

改めて言うから
メモをとってもらえるかな？

同じことを何度も伝えるのは少し煩わしく感じるかもしれませんが、ここは目をつぶって。メモをとることは社会人の基本。それを部下に教えるいい機会だと捉えましょう。強く言うと反感を買ってしまうかもしれないので、穏やかに導いてください。

最低限、これだけは

OK!

**明後日の大事な会議の件だよ。
もう1回説明するね**

部下が失念していた内容は大事な案件だと示し、忘れていたら大変なことになると伝えてください。そのうえで、再度部下がわかるように優しく説明をしましょう。

より具体的に提案

OK!

これからはメールやメモで形に残るようにするね

重要な指示は口頭ではなく、文書で残したほうが行き違いが少なくて済みます。口頭での説明で済ませたあなたも完璧ではなかった、と言えるかもしれません。部下を責めるのではなく、自分も見直すと伝えるのもひとつの方法です。

粘り強く

OK!

わからなかったら何回でも聞いてね

再度説明したあと、添えたいかえし言葉。慣れない案件なら部下も不安なところがあるでしょう。上司であるあなたが見守っているということがわかれば、部下にも安心感が生まれます。

言っていませんか？

NG!

伝えたよ。メモをするのが常識だよね

指導のつもりでも、冷たく言い放ってしまうと後輩はあなたへの不信感を強めてしまいます。一方的な叱責は避けましょう。

05 さっきも言ったよね

情報の交錯②

▶ 言ったつもりの上司から情報を引き出すには？

本人は言ったつもりでも誰も何も聞かされていないまま、ものごとを進めがちな上司。今回もまた同じような状況に。上司からの指示がまだされていないことを穏便に伝えるにはどうすればいいでしょうか？

STANDARD
これだけ覚えて!

**こちらが失念していたら
申し訳ありません**

あなたに非がなかったとしても、円滑に仕事を進めるには、謝るのも処世術のひとつ。そのうえで「詳細を伺っても構いませんか」と尋ねれば、角も立たないはずです。謝罪は本意ではないかもしれませんが、誠実な対応を心がけて。

最低限、これだけは

OK!

事態がのみ込めていません。詳しくお願いできますか？

まわりくどく事情を説明するよりも、率直にお願いするほうが齟《そ》齬《ご》も生まれにくいでしょう。簡潔かつ具体的に確認すれば仕事もスムーズに進むでしょう。知ったかぶりは禁物です。

より丁寧に

OK!

恐縮ながら、初耳です

ただ「初耳です」と伝えただけでは、上司も気分を害してしまうかもしれません。少し下《した》手《て》に出て「恐縮ながら」をワンクッションとして置けば、波風を立てずに事実を伝えることができます。

具体的に提案

OK!

今後は逐一メモをとるようにします

今後は行き違いがないように、文章で残すことを提案しても。万一、次に同様のことがあった場合にも「メモにないので、もしかしたら伺っていないのかもしれません」と言えますね。

言っていませんか？

NG!

さっきって、いつですか？

誰しもつっけんどんに指摘されるのは、気持ちはよくないもの。こんな言い方では、上司の顔を潰してしまいます。相手のミスともいえますが、上司の顔を立てて厳しい口調は避けて言葉を選んで。

05
情報の交錯③

話が完全に違うじゃないか！

▶ 相手方の情報伝達ミスの巻き添えになったときは？

メールと電話で取引先に伝えていた案件の進捗。現場の担当者が報告をしておらず、打ち合わせに同席した客先の上司が聞いていないとお怒り。こんなとき、どんなかえし言葉をかければうまく事態を収束できるでしょうか？

まったく話が
違うじゃないか！

STANDARD
これだけ覚えて！

○○さまにまで共有ができておらず誠に申し訳ございません

誠心誠意の謝意をまず伝えましょう。仕事は先々のことを考え、視野を広くもって進めたいもの。取引先担当者の上司まで目配りができず、未然にトラブルを防げなかったのは、ビジネスのうえではあなたの手落ちです。素直に認め、謝罪しましょう。

至らなさを認めて

OK!

私どものご説明不足でした

取引先の上司に進捗を直接説明していないのは、ゆるぎのない事実。言い訳をせず、その事実を認めていることを示し、それからしっかりと誠意ある謝罪の言葉につなげてください。

反省の気持ちを

OK!

ご担当者さまにお伝えして満足しておりました

なぜこのようなことになったのか、経緯を説明するなかでも相手のせいにしてはいけません。あくまであなたのミスであると謙虚な気持ちで伝えれば、火に油を注ぎませんよ。

改善の意思を込めて

OK!

今後はこのようなことがないよう、フローを見直します

相手の真意が謝罪要求でない場合もあります。謝罪をしたあとは、同じあやまちが起こらないよう対策案を提示すれば、相手からの信頼を回復できるかもしれません。

言っていませんか？

NG!

そちらのご担当者さまにはお伝えしたのですが……

あなたに落ち度はなくても、言い訳に聞こえかねないことを口にすると、担当者との関係が悪くなりかねません。ビジネスの場合、今後の関係を考え、落ち着いてまずは謝ることを心がけて。

05
情報の交錯④

午前中：A案でいこう 午後：B案でいこう

▶ 朝令暮改な上司から正しい情報を聞きたいときは？

言うことがころころ変わる朝令暮改な上司に、振り回されているあなた。今日もまた午前と午後で違うことを言われました。どちらの案で進めればいいのか、どんなかえし言葉で上司に確認すれば失礼がないのでしょうか？

○○で行こう
△△で行こう
午前中
午後
よし
うん

STANDARD
これだけ覚えて！

私は午後の案より、午前の案のほうがいいと思いますが

スムーズに仕事を進めるには、気遣いも求められますね。午前と午後で上司の意見が異なることを暗に伝える方法です。ストレートに尋ねないので、上司の顔を潰してしまうことなく、上司もいいほうの案を挙げやすくなるでしょう。控えめな態度で確認して。

より丁寧に

OK!

午前と午後に伺った案、どちらの方法で進めればいいでしょうか？

方針が二転三転すると、仕事にも影響が出てしまいますよね。丁寧な態度で上司に確認しておくことが大切です。

ストレートに

OK!

午前は○○とおっしゃっていたと記憶しているのですが

上司が午前中に言った案を忘れている可能性も否定できません。念には念を入れて確認をとっておけば、今後のトラブルの芽を潰すことができます。

こんなパターンも

OK!

両方の案を試してみますね

あなたに余裕がある場合、どちらの案も少しずつ着手しておき、上司の考えが変わってもすぐに対応できるようにしておくのも手。ただし根は詰めすぎないで。

言っていませんか？

NG!

そんなことを言われても……

今あなたが確認したいのは午前と午後のどちらの案で進めるかということ。口ごもってしまっては、正しい仕事の方針がわかりません。勇気が必要かもしれませんが、きちんと確かめてください。

06 不条理な態度①　遅刻をするなんて……

不条理ともいえる思いがけない対応にあったときは、なんとか穏便に済ませたい。そんなときに使いたい言葉は？　あまりにつらい場合はしかるべき機関に相談を。

▶ 取引先からの不信感をぬぐいさりたいときは？

やむを得ない電車の遅延で必死にかけつけたものの、客先への到着が20分遅れてしまいました。遅延がわかった時点で先方には電話で事情を説明しましたが、到着早々ご立腹の様子。なんとか怒りを解いてもらうには？

打ち合わせに遅刻されるなんて
正直驚いております

STANDARD
これだけ覚えて！

大切な打ち合わせにご迷惑をおかけし、申し訳ございません

故意ではなくても遅刻をしてしまったときには、まず謝りましょう。双方にとってこの打ち合わせが大切なものなのに、出鼻をくじいてしまったのは事実。あなたがそのことを自覚していることも合わせて伝えられると、なおいいですね。

最低限、これだけは

OK!

**以後気をつけます。
まったく申し開きのできないことです**

こんなときに大事なのは、深く反省していることを相手に示すこと。言い訳を並べたい気持ちをおさえ、丁寧に謝罪しましょう。

より丁寧に

OK!

**貴重なお時間を奪ってしまい
お詫び申し上げます**

まずは謝罪を。その際「不安なお気持ちにさせてしまい」など、相手の心情をくみとった一言を添えると、相手の腹立ちもおさまりそうですね。

自戒を込めて

OK!

もう少し余裕をみて出発するべきでした

謝罪のあとに続ける言葉も大切です。この一言を添えると、反省の思いが相手に伝わるでしょう。今後同じあやまちを繰り返さないという決意表明にもなるかえし言葉です。

言っていませんか？

NG!

必死にがんばったのですが、電車のせいでして

取引先が求めているのは、あなたの事情や遅刻の理由ではなく、あなたからの「申し訳ありません」の一言。電車の遅延は不可抗力ではありますが、言い訳をせず心を込めた謝罪の言葉を伝えて。

06 やる気があるのか

不条理な態度②

▶ 根性論の先輩に難しさをわかってもらうには?

どうがんばっても成功しそうにない案件なのに、先輩は撤退ではなく、根性論を押し通そうとします。うまくいきそうな気配はありません。こんな場合、あなたが先輩に話すべき言葉は?

そんな弱気で
やる気があるのか

STANDARD
これだけ覚えて!

やる気はあります。具体的な進め方を教えてもらえませんか

解決の糸口を見つけるには、建設的に話を進めることが大切です。最初に「やる気はあります」と言うことで、あなたの意欲を見せて先輩の気持ちをくみとってください。そのうえで先輩に経験者としてのアドバイスを求めれば、角も立ちません。

誠意を見せて

OK!

最大限取り組んでいます！

すでに着手して難航している案件には、最善を尽くしていることを伝えましょう。「ご期待に添える結果が出せておらず、申し訳ありません」と加えると、先輩も冷静になってくれるかも。

こんなパターンも

OK!

やる気ではなく、私の実力不足です

努力はしていても、実力が伴っていないこともあるでしょう。正直にそれを告げるかえし言葉です。そんなあなたでもできる打開策を先輩が提案してくれるきっかけにもできそうです。

具体的に提案

OK!

**残業の規定時間を超えてしまいそうなので
上司の許可をもらってきますね**

先輩よりもさらに上の立場の人に相談することをにおわせることで、先輩も独断で案件を進めることはやめるかもしれません。

言っていませんか？

NG!

やる気があってもこの案件は無理ですよ

実力や環境などの理由から、根性だけで何ごともうまくいくわけではないことは、れっきとした事実です。たとえ事実であったとしても、自分に都合の悪いことを耳に入れるのは誰しも快くはないもの。伝え方を工夫しましょう。

06 不条理な態度③

言い訳はいいから

► 上司に話を聞いてもらうには？

部下の切実な意見にしっかり耳を傾けてくれない上司。進捗状況が思わしくない案件を、どうしてうまくいっていないのか説明すると、この一言で一蹴されました。上司に話を聞いてもらうためには、どんなかえし言葉がいいでしょうか？

口先だけの
言い訳はいいから

STANDARD これだけ覚えて！

**アドバイスをいただきたいので
どうか少し聞いていただけませんか？**

あなただけでは解決できない問題なら上司に相談するのが当然ですし、円滑に仕事を進めるために上司も助ける必要があります。アドバイスを求めていると前置きすれば、上司もむげにもできないでしょう。忙しい上司には要点をまとめてから相談を。

最低限、これだけは

OK!

結論だけでも聞いてくださいますか？

結論の前に過程をダラダラと話していませんか？　上司にも仕事があり、手短に状況を知りたいはず。こう前置きして、上司が求めている情報だけを簡潔に伝える必要がありますね。

こんなパターンも

OK!

5分ほどで終わるので、お時間をいただけませんか？

時間のない上司なら、具体的に必要な時間を伝えて。内容に優先順位をつけると、上司の時間を無駄にせずに済みます。

具体的に提案

OK!

このままだと、○○さんによりご迷惑をかけてしまいそうで不安なんです

あまりにも耳を傾けてくれないなら、こんなかえし言葉を。さすがにこう言われたら上司も聞かざるを得ないでしょう。

言っていませんか？

NG!

部下の話くらい聞いてください！

冷静さを欠いてこんなことを言ってしまっては、上司に失礼ですし、感情を逆なでしてしまいます。こんな不遜《ふそん》な言い方では話を聞いてくれるどころか、上司から困った部下といった扱いをされてしまう可能性も。おだやかな言葉を選んで。

06

不条理な態度④

自分でよく考えてみて

▶ 上司に手助けをお願いするには？

毎回説明が少ない上司。もう少し具体的に教えてほしいとお願いしたところ、こんな返事が。よく考えても本当にわからない案件だからこそ知りたい……。上司にもう少し詳しく説明してもらうにはどんな言葉がいいのでしょうか？

自分でよく考えて
みないと成長しないよ

STANDARD

これだけ覚えて！

未熟で申し訳ございません。皆目見当がつきませんのでご指導いただけますか？

上司をイライラさせないかえし言葉。至らなさを認めて下手《したて》に出て、教えを乞いましょう。滞りなく案件を進めたいときに、使いたいフレーズです。教えてほしいことを具体的かつ簡潔にまとめておけば、相手の手を煩わせません。

最低限、これだけは

OK!

ヒントだけでも伺えますか？

何もヒントがなければ動けない案件もあるでしょう。その場合はお願いするしかありません。そんなときも上司の説明不足を責める態度ではなく、丁寧に確認するのが禍《か》根《こん》を残さないコツ。

努力を見せて

OK!

それは○○ということでしょうか？

ただ尋ねるだけでなく、あなたなりの努力を上司に伝えるのも肝心です。少しでも思いあたることがあれば、上司に確認して答えを求めてみましょう。間違えていても道は開けます。

こんなパターンも

OK!

何度も考えたのですが、どうしてもわからずみなさんにご迷惑をかけてしまいそうで……

しっかり準備するために最大限の努力をしたことを伝えましょう。そのうえで、お詫びを添えて教えてくださいと頼めば、上司にも響くでしょう。

言っていませんか？

NG!

考えても出てこないので聞いています

感情に任せて気持ちをぶつけても、色よい返事は期待できませんね。これではいい関係も築けません。こんなときこそ冷静に、本音はぐっとおさえて丁寧なかえし言葉を心がけてください。

07 意欲向上①　指示をいただければやります

部下のやる気を引き出すのも仕事。素敵なかえし言葉で良好な関係性が築ければ、報連相をしっかりしてくれるようになり、仕事もしやすくなるはず。

▶ 部下のやる気を引き出させるには?

いつも指示待ちでなかなか成長しない部下。あなたは、もっと積極的に仕事に取り組んでほしいと考えています。部下のやる気を引き出し、チャレンジ精神をもっと育むにはどんなかえし言葉がいいのでしょうか?

指示をいただければ
できるのですが……

STANDARD これだけ覚えて!

まず自分でやってみて。失敗してもこっちでフォローするからね

部下は本当はできるのに、失敗して自分の責任になるのが怖くて、消極的なのかも。その場合は、部下の不安を払拭するのを第一に、フォロー体制は万全と伝えましょう。安心することで、率先して仕事に取り組めるようになるかもしれません。

最低限、これだけは

OK!

まずは自分のやり方で大丈夫だから

いつまでも指示待ちでは、人は成長しません。部下の成長の期待を込めたニュアンスで行動を促すかえし言葉を。目をかけて部下を育てれば、部下からあなたが想像しなかった斬新なアイデアが生まれるかもしれませんよ。

感想と一緒に

OK!

あなたはもっと伸びる人だから

部下に発破をかけたい、やる気を引き出したいときに添えたいかえし言葉。伸びしろを信じていると伝えれば、部下も意欲が湧くでしょう。ポジティブな言葉選びを心がけてください。

アドバイスと一緒に

OK!

一度自分で考えて実践したほうが身につくよ

チャレンジする気持ちを芽生えさせたいなら、こんなかえし言葉でも。「うまくいくようにサポートするから」と、あなたが助けるとの思いを込めた一言を添えるとなおいいでしょう。

言っていませんか?

NG!

指示待ちの姿勢じゃ成長できないよ

ネガティブに響く言葉は、消極的な部下をさらに縮こませてしまうかもしれません。部下のやる気を伸ばす、前向きな言葉がけをするのも上司の仕事。ポジティブな言葉のレパートリーをもって。

07
意欲向上②

自分にはできません

▶ 部下の不安をとり除くには?

何事にも自信をもてない部下。それでもあなたは部下を育てる責任があります。優秀なのに自分から動こうとしない部下のモチベーションを上げ、積極的に仕事に取り組めるようにするには、どんな言葉をかければいいのでしょうか?

ごめんなさい。
自分にはできません

STANDARD
これだけ覚えて!

わからないことがあったら
いつでも聞いていいよ

あなたにそのつもりはなくても、知らず知らずのうちに威圧的な雰囲気が出ていませんか? 話しかけやすいオープンな上司だと、部下も相談しやすいもの。部下が安心して仕事ができるよう、話しやすい雰囲気を醸し出して、協力的な姿勢を見せてください。

手を差し伸べて

OK!

フォローをするから、思うようにやってみて

どんなことでも、初めての取り組みは誰しも不安に感じるものです。上司のサポートが受けられるのは、部下にとって心強さにつながります。ポジティブな言葉で励ましましょう。

自分の思いも込めて

OK!

○○さんなら大丈夫。どこが不安かな

部下に発破をかけたいなら、太鼓判を押すかえし言葉を。信頼されていると実感できれば、部下も邁進《まいしん》できるようになるかも。

こんなパターンも

OK!

何かトラブルになったら僕が先方に謝るから挑戦してみない？

部下は責任をとることに恐れを抱いているのかもしれません。期待はしつつも、あなたが後ろ盾役になることを明言すれば、部下も安心して仕事に取り組めるでしょう。

言っていませんか？

NG!

会社員としてそれはどう？

こんな言葉をかけてしまっては、部下は余計居心地が悪くなり、後ろ向きになってしまうだけです。発破をかけたつもりが逆効果になりかねません。上司たるもの部下の気持ちを推し量った言葉を。

07

意欲向上③

自分ってダメですよね

▶ 部下に自信をもってもらうには？

仕事でミスを犯し、取引先を怒らせた部下。取引先をなだめることには成功しましたが、部下はこれ以上ないほど落ち込んでいます。これも勉強くらいの気持ちでいてほしいのに。励ますにはどんな言葉がいいのでしょうか？

すみません。
自分ってダメですよね
ハァ

STANDARD これだけ覚えて!

**ミスは誰にでもあるよ。
そこからどう立ち上がるかだよ**

自分をダメだと否定してしまう気分に浸ったままでは、部下も苦しいでしょう。これからの具体的な改善策を一緒に探していこうと、前向きな声をかけてください。あなたが確実に教え導いてくれることがわかれば、部下も心強く感じるはずです。

最低限、これだけは

OK!

ごはんにでも行こうか

思いやってくれる上司の気持ちは嬉しいものです。部下がこの失敗を乗り越える励みになりそうですね。説教の場になると思われると部下も尻込みしてしまうので、明るく伝えましょう。

自分の思いも込めて

OK!

私も大変な失敗をしたことがあるよ

あなたも一度や二度、大きな失敗をしたことがある。それを乗り越えてきた事実を伝えることで、部下の視野を広げましょう。部下のためと思って、恥ずかしがらず包み隠さないで話して。

こんなパターンも

OK!

命まではとられていないから大丈夫

落ち込みからなかなか浮上してこない部下には、少しのユーモアを交えたかえし言葉を。このあとに、仕事を続けていれば失敗もあり、それをとり返すこともできるといったメッセージを続けて。

言っていませんか？

NG!

あれは取引先が悪いよ

慰めのつもりで客先の悪口を言うと、部下は救われるかもしれませんが、なんの解決にもなりませんね。取引先に失敗の原因をなすりつけるのは、あなたの信用も損ないかねないうえに、部下の成長を止めてしまうので、絶対に避けて。

07 意欲向上④ 辞めたいです

▶ 部下の辞意をとり下げてもらうには？

ミスをきつめに叱った翌日、部下が辞めると言いだしてしまいました。伸びしろがあるからこそ、叱られたことをバネにがんばってほしかったのに。今後も一緒に働きたい部下を引き止めるには、どんな声をかければいいでしょうか？

STANDARD
これだけ覚えて!

まずは落ち着いて一回話そうか？

他の人に話を聞かれることのない静かな落ち着いた場所で、まず部下の気持ちや思いを吐き出してもらいましょう。あなたが丁寧に部下の気持ちをすくいとることができれば、部下からの信頼も得られ、辞意をとり下げてもらう第一歩になりそうです。

期待を込めて

OK!

ごめんね。期待しているからこそいろいろと言ってしまったんだ

まず叱責を謝り、ワンクッションを置いてください。その後「話を聞こうか」と、あなたが部下の挫《くじ》けてしまった心境に寄り添う気持ちを表せれば、説得にも耳を傾けてくれるでしょう。

相談にのる

OK!

辞めてほしくないな。どうすればいいか一緒に考えよう

改善策を一緒に考えようと提案するかえし言葉。「いつも頼りすぎてごめんね」など、部下を思いやる一言を添えましょう。

相談にのる

OK!

どうしたの？　なんでも話を聞くよ

部下が落ち込んでいるのは今回の一件だけでなく、他の仕事やプライベートのことでも、不安や不満をためているのかも。悩みを話してもらうことで部下の気持ちに余裕が生まれるでしょう。

言っていませんか？

NG!

この忙しいときに辞められたら困るんだよ

落ち込んでいる部下に追い打ちをかける言葉をかけても、事態は好転するどころか、ますますかたくなになってしまうでしょう。引きとめるなら、相手の心を癒《い》やす優しい言葉をかけてください。

08 謝罪 シフトをかわってもらってごめんなさい

大したことではないことを謝罪され、恐縮することもありますよね。こんな場面では、相手の気持ちを軽くする、朗らかなかえし言葉をかけたいですね。

▶ 同僚のシフトを調整した後ろめたさを払拭するには？

急な子どもの発熱で休みをとった同僚のシフトをかわったあなた。あなたとしてはよくあることと気にしていませんが、相手はとても申し訳なさそうにしています。相手の心を軽くする言葉は？

先日は急にシフトを
かわってもらってごめんなさい

STANDARD
これだけ覚えて!

困ったときはお互いさまですよ

今後あなたが急用でシフトをかわってもらうこともあるでしょう。その思いを込めたかえし言葉を。続けて「私に急用ができたときは交代をお願いできると嬉しいです！」とあなたのお願いを添えると、相手の気持ちも軽くなりますね。

相手をフォローして

OK!

誰も悪いわけじゃないから謝らないで

あなたがすべきは、恐縮する相手の緊張を解くこと。小さな子どもがかぜを引くことも、その看病のために休みをとることも、どちらも責められることではありませんね。あれこれと言葉を尽くすよりも率直にあなたの気持ちを表現したほうがいい場面でしょう。

心配の気持ちも込めて

OK!

お子さんは大丈夫？

シフトの交代を気にしていないかえし言葉をしたあと、子どもの体調の心配を。この一言で、あなたがシフト交代よりも、子どもの体調を心配していることを伝えることができますね。

感想と一緒に

OK!

小さいお子さんがいると大変ですよね

幼い子どもを育てるのは大変。それをねぎらうかえし言葉も添えると、なお一層いいでしょう。相手から理解のある人だと思ってもらえて、お互いに仕事がしやすくなりそうです。

言っていませんか？

NG!

あの日、忙しくて大変だったんですよー

同僚は遊びではなく、子どもの病気でシフトの交代を要請しました。いくら忙しかったとしても、嫌味っぽく聞こえる言い方はNG。相手がますます縮こまってしまうような発言は控えて。

09

ねぎらい①

お足元の悪いなか ご足労いただきまして

ねぎらいは、言葉の贈り物。とくに仕事の場では相手にもねぎらってよかったと思ってもらえる、素敵な言葉を贈り返し、良好な関係を築きたいですね。

▶ 雨の日の移動をねぎらってもらったときは？

商談のために取引先に向かう途中、急な雨が。打ち合わせの場に着くと、こんな優しい言葉をかけてくれました。誠実な態度であなたの印象をよくすれば、商談も進めやすくなる場面です。どんなかえし言葉がいいでしょうか？

本日はこんなお足元悪いなか
ご足労いただきまして……

STANDARD

これだけ覚えて!

**本日お話しできるのが
楽しみでしたので**

まずは「ありがとうございます」のお礼を。続いて急な雨も、ものともしない一言を添えることで、商談への期待感を取引先に伝えるかえし言葉です。あなたが真摯《しんし》に仕事に取り組んでくれそうと思ってもらえ、商談も前向きに進みそうですね。

最低限、これだけは

OK!

傘を持参していたので問題ありませんでした

気遣いを感謝しつつ、心配してくれた相手を安心させるかえし言葉です。「近くのコンビニエンスストアで傘を買えました」「タクシーに乗れました」などと、対処方法に応じて言いかえて使ってください。

前向きに

OK!

お天気に負けないよう、精一杯努めます

悪天候のところ出向いてもらい申し訳ないと取引先が感じていそうなら、場を明るくする一言を。前向きなかえし言葉を挟んでなごやかな雰囲気になれば、商談もしやすくなるでしょう。

手短に

OK!

めぐみの雨ですよね

取引先が申し訳なさそうにしていたら、雨天の悪いイメージを払拭するかえし言葉をかけてください。相手の心を軽くすることができれば、商談もきっとスムーズに進むでしょう。

言っていませんか？

NG!

ひどい雨ですね。スーツの裾がびちゃびちゃです

事実を正直に伝えてもいい方向に進展しないかえし言葉です。相手も申し訳ない気持ちになり、萎縮してしまうかも。相手に配慮して、心配させてしまう言葉は言わないようにしましょう。

09
ねぎらい②

昔より成長したな

▶ 上司に成長を褒めてもらったときは？

成長したと上司が目を細めて褒めてくれました。どこが成長したのか、具体的には教えてくれなかったので、漠然とした返事になりそう。それでも素直に嬉しい気持ちを伝えたい場合、どんなフレーズで返すのがいいでしょうか？

昔よりうんと成長したな

STANDARD
これだけ覚えて!

自分でも成長を実感できるように
一層がんばります

どうして褒めてもらえたのか、よくわからないことをポジティブに言いかえたかえし言葉です。このフレーズの前に感謝の一言も必ず伝えましょう。浮かれた態度では不誠実に映るかもしれません。喜びを表しつつも、実直な姿勢を見せるのがベスト。

最低限、これだけは

OK!

また認めていただけるよう精進します

まじめな上司の場合、おちゃらけず、真摯《しんし》に返答するのが正解。慢心せずにこれからも成長したいことを伝えるかえし言葉なら、上司も安心して引き続きあなたを見守ってくれるでしょう。

より楽しく

OK!

身長は伸びていないはずですが どんなところでしょうか？

会話の雰囲気から、上司が気軽な声色で褒めてくれたのなら、ユーモアを交えた返事もいいでしょう。にっこりと、表情にも気を配って。機転が利くと判断してくれるかもしれませんね。

丁寧に

OK!

見守って気心をかけていただけてありがたいです

折り目正しくお礼を言いたいときには、丁寧な言い回しを使いたいですね。「お気遣い」「お心配り」「ご高配」など、言いかえの利く言葉を覚えておくと、社内外で何かと役に立ちますよ。

言っていませんか？

NG!

そりゃあ、入社してもう３年経ちましたから

あなたが立派に成長していたとしても、すぐに天狗《てんぐ》になってしまっては、上司も慢心しているのではないかと心配になってしまいます。謙虚さは忘れずにまじめな姿勢で答えましょう。

09 ねぎらい③ いつもがんばっていてすごい！

▶ 同僚から日々の仕事ぶりを褒められたときは？

派手さはないものの、着実に仕事をこなすあなた。縁の下の力もちタイプのため、注目されていないと思いきや、しっかり見てくれている同僚から嬉しい一言をもらいました。どんな返事をすれば、あなたの思いが伝わるでしょうか？

○○さんはいつもがんばっていてすごいね！

STANDARD これだけ覚えて！

みなさんが協力してくれるからです

自分だけの手柄にしないかえし言葉です。仕事はみんなの協力があって成り立つもの。自分ひとりのがんばりではなく、同僚の助けがあってこそ。その感謝と謙虚な気持ちを伝えれば、お互いに応援し合えるいい関係になれるかもしれませんね。

丁寧に

OK!

〇〇さんの仕事ぶりを見ていたら
私もがんばろうって思えるんです

称賛を受けとり、もう一段階発展させたいなら、相手の長所を褒めるフレーズを盛り込んでみて。わざとらしくならないよう、さらりと伝えるのがポイントです。

こんなパターンも

OK!

そう言ってもらえたのを励みに、またがんばります！

同僚の嬉しい言葉が仕事のガソリンになると端的に告げられます。言葉を尽くさなくても喜びが伝えられるので、褒められるのがくすぐったくて上手な一言が思い浮かばない人も使いやすいはず。

最低限、これだけは

OK!

ありがとう！　見てくれている人もいるんだね

あなたは縁の下の力もちという自覚があるぶん、同僚ががんばりを認めてくれたことは意外であり、嬉しいことでしょう。その思いをストレートに伝えるだけでも、あなたの喜びが伝わりますよ。

言っていませんか？

NG!

がんばったところで給料は上がらないんだけどね

せっかくの褒め言葉なのだから、同僚だとしても会社の愚痴めいたコメントで返すのはNG。話の腰を折られたようで相手もいい気分にはなりませんね。相手も嬉しくなる言葉を返しましょう。

09
ねぎらい④

君に任せてよかった

▶ 上司から仕事ぶりを褒められたときは？

任された大きなプロジェクトが成功し、担当者のあなたへ上司から一言。普段は寡黙であまり褒めない上司であるぶん、その嬉しさはひとしおです。この思いをできるだけ簡潔に伝えたいとき、どんなフレーズがいいでしょうか？

この仕事を
君に任せてよかった

STANDARD
これだけ覚えて！

○○さんのご指導のおかげです

あなたが中心のプロジェクトだとしても、あなたひとりだけの力では成功しなかったでしょう。その謙虚さをもち、これまでの道をつくり、見守ってくれた上司への感謝の気持ちを伝えてください。そうすれば、今後も一層円滑な関係を築けるでしょう。

今後の決意を込めて

OK!

これからもお役に立てるように、尽力します

仕事の目的のひとつは会社の利益。当たり前のことですが、改めて口にすることは少ないのではないでしょうか。この頼もしい一言で上司からの信頼も厚くなり、さらに大きな案件に挑戦する機会をもらえるかもしれません。

お礼も込めて

OK!

おかげさまで貴重な経験をさせていただきました

今回のプロジェクトは、会社という後ろ盾があったからこそできた経験。会社への感謝を示すかえし言葉もいいでしょう。

謙虚な気持ちで

OK!

もったいないお言葉、恐縮です

社長や取締役など、かなり役職が上の上司が相手だと、失礼のないよう言葉を尽くしたいですね。でもそういった人たちは往々にして忙しいことが多いもの。手短に感謝の言葉を伝えて。

言っていませんか？

NG!

私なんて、まだまだです

謙遜《けんそん》もすぎると、相手の言葉を否定するように響きかねません。せっかくの厚意は素直に受けとりましょう。「ありがとう」「うれしい」など、単純でも率直な言葉を返すほうが好印象ですね。

使って便利な

かえし言葉語彙集

日頃の言葉遣いをレベルアップできる、定型の言葉をまとめました。
語彙力が身につけば、より言葉に気持ちを込められますよ。

感謝

おかげさまで

この恩恵は人や神仏の力添えによるものと、感謝の気持ちを込められる言葉。
使い方：「おかげさまで、弊社も創業27年を迎えることができました」

お言葉に甘える

目上の人からの厚意を遠慮なく受けとるときに、感謝の気持ちを込める言葉。
使い方：「お言葉に甘えて、ご一緒させてください」

もったいないお言葉です

目上の人から褒められたときに謙遜《けんそん》して使う言葉。
使い方：「私には、もったいないお言葉です」

かたじけない

人の厚意に対して感謝や恐縮を表す、かしこまった言葉。
使い方：「お言葉、誠にかたじけなく存じます」

ご恩は忘れません

相手からの厚意に深い恩義を感じたときに使う感謝の言葉。
使い方：「ご親切にあずかりましたこと、このご恩は忘れません」

心尽くしの

真心のこもった親切を指して使う言葉。
使い方：「心尽くしのおもてなしありがとうございます」

ひとかたならぬ

並々でない様子をさして使う言葉。主に相手の厚意に対して使います。
使い方：「ひとかたならぬお世話になり、ありがとうございました」

お願い

あいにくですが

相手の期待に応えられず、申し訳なく思う気持ちを表す言葉。
使い方：「あいにくですが、その日は先約が入っています」

お手数をおかけしますが

相手に面倒をかけることを恐縮していう言葉。
使い方：「お手数をおかけしますが、ご記入とご捺印をお願いいたします」

恐縮ですが

お願いする前につけ加えることで、相手を気遣うクッション言葉。
使い方：「お忙しいなか恐縮ですが、ご回答お願いいたします」

ご足労をおかけしますが

わざわざ相手に来てもらうことを、ねぎらい感謝する言葉。
使い方：「ご足労をおかけしますが、ご来社お待ちしております」

ご無理のない範囲で

「できる範囲で」を相手に配慮して丁寧に伝える言葉。
使い方：「ご無理のない範囲で、ご検討くださいますでしょうか」

ご迷惑でなければ

お伺いを立てるときに、相手の都合に配慮する言葉。
使い方：「ご迷惑でなければ、会議にご出席のほどお願いできますでしょうか」

お骨折りですが

お伺いを立てるときに、相手の労苦に配慮する言葉。
使い方：「お骨折りですが、本件にご協力をお願いできますでしょうか」

万象お繰り合わせのうえ

絶対にお願いしたいときに使う言葉。
使い方：「万象お繰り合わせのうえお越しください」

謙遜《けんそん》

足手まといかもしれませんが

相手の活動の邪魔をしてしまうかもしれないと謙遜していう言葉。
使い方：「足手まといかもしれませんが、ボランティアに参加させてください」

ご笑納《しょうのう》ください

「つまらないもので」と相手の負担を軽くし、笑って受けとってほしいときに使う言葉。
使い方：「田舎の母がもたせたものですが、どうぞご笑納くださいませ」

趣味程度です

スポーツや教養を褒められたときに、「かじる程度です」と謙遜して使う言葉。
使い方：「趣味程度で絵を描いています」

僭越《せんえつ》ながら

自分の立場を越えて、出すぎたことをしますという意味。
使い方：「僭越ながら、私が乾杯の音頭をとらせていただきます」

浅学《せんがく》非《ひ》才《さい》

自分の知識や学識が未熟であることを謙遜していう言葉。
使い方：「浅学非才の身ですので、お教えできることはありません」

月並みですが

平凡で陳腐なものとへりくだっていう言葉。
使い方：「月並みな意見ですが、折衷《せっちゅう》案を探すのはいかがでしょうか」

手前味噌

自分で自分を褒めるときに使う言葉。
使い方：「手前味噌ですが、泳ぎには自信があります」

はばかりながら

目上の人に恐縮しつつも意見を言うときに使う言葉。
使い方：「はばかりながら、発言させてください」

微力ながら

自分の力量をへりくだって使う言葉。
使い方：「微力ながらお手伝いさせてください」

身に余る

自分の立場からは過剰なほどの状態を指して、恐縮するときに使う言葉。
使い方：「身に余る光栄で、嬉しく思います」

謝罪

お恥ずかしい限りです

自分の力不足を恥じ入って、申し訳なさを示すときに使う言葉。
使い方：「私の教育不足によるミスで、お恥ずかしい限りです」

失念しておりました

忘れていたことを、かしこまっていう言葉。
使い方：「納期について失念しておりまして大変申し訳ありません」

力およばず

努力をしたけれど、実力が伴わないときの謝罪に使う言葉。
使い方：「力およばず、目標を達成できず申し訳ありません」

手《て》元《もと》不《ふ》如《にょ》意《い》で

お金のもち合わせがないときに使う言葉。
使い方：「手元不如意で、今日の飲み会は遠慮させてください」

ひとえに

ただただ、そのことだけを示したいときに使う言葉。感謝するときにも使います。
使い方：「ひとえに私の力不足で、ご迷惑をおかけして申し訳ありません」

不徳のいたすところです

徳が足りず、迷惑をかけたことにお詫びする言葉。
使い方：「この過失は、私の不徳のいたすところです」

お誘い

行きたいのはやまやまなのですが

お誘いを断るとき、相手の気持ちをむげにしない言葉。
使い方：「行きたいのはやまやまなのですが、今回は遠慮させてください」

お招きにあずかり光栄です

お誘いを受けて感謝の気持ちを伝える言葉。
使い方：「○○さんの門出の式に、お招きに預かり光栄です」

せっかくのお話ですが

お誘いを丁重に断るときに使う言葉。
使い方：「せっかくのお話ですが、お断りさせてください」

ぜひとも

お誘いを強く望んで受けるときに使う言葉。
使い方：「ぜひともお目にかかりたく存じます」

万難を排して

お誘いを受けて、必ず参加したい気持ちを伝える言葉。
使い方：「万難を排して、披露宴へ参ります」

おわりに

本書をお読みくださり、ありがとうございました。

たくさんのシチュエーションを見ることで、みなさんの日頃の会話をふり返る機会となりましたでしょうか。

「かえし言葉」は受け身の言葉です。相手の発言や質問に応じて、臨機応変に発する必要があります。それが難しいところなのですが、だからこそ、かえし言葉をうまく使いこなすことができれば、コミュニケーションの達人になれます。

細かく分析すると、「かえし言葉」は、

①相手の話をよく聞く
②相手の気持ちを想像する
③どんな関係や空気をつくりたいか考える
④言い回しを工夫する

という４つが自然に合わさって発されています。一つひとつの言葉の裏に、そうした気配りのプロセスがひそんでいるのです。どうしても、④の言い回しに目が行きがちですが、まず相手を受けとめることから始めることが大切です。

かっこよく言いかえれば、

①傾聴力・観察力
②共感力・想像力
③構想力
④語彙力・表現力

となります。かえし言葉を発するというのは、なかなか複雑な能力なのです。

本書では、そうしたプロセスを追体験していただけるように、具体的なシチュエーションを設定しました。みなさんの日々の会話のなかでも、この4段階のプロセスを意識することで、心を込めて相手と向き合い、望むような関係を培っていくことができるはずです。

みなさんが言葉を通じて、より豊かな暮らしや人づき合いを実現できますことを祈ってやみません。

吉田 裕子

●監修者
吉田 裕子（よしだ ゆうこ）

国語講師
三鷹古典サロン「裕泉堂」主宰
大学受験塾で難関大学志望者を指導。言語や古典文学の見識を活かし、企業研修や毎日文化センター・NHK学園などで大人向けの講座にも登壇している。NHK Eテレ「ニューベンゼミ」に国語の専門家として出演するなど、テレビやラジオ、雑誌などのメディアでも活躍。著書に『品よく美しく伝わる「大和言葉」たしなみ帖』（永岡書店）、『大人の語彙力 使い分け辞典』（永岡書店）、『大人に必要な読解力が正しく身につく本』（だいわ文庫）ほか多数。言葉遣いや語彙を取り上げた『大人の語彙力が使える順できちんと身につく本』（かんき出版）は10万部を超えるベストセラーに。東京大学教養学部・慶應義塾大学文学部卒業、放送大学大学院・京都芸術大学大学院修了。三重県出身。

執筆協力●津島千佳　デザイン●吉村朋子　イラスト●後藤亮平（BLOCKBUSTER）
監修協力（P156～157/162～163）●石井忠継（心理オフィスK臨床心理士）
校正●西進社　田川多美恵　編集協力●パケット

もう返事に困らない！
かえし言葉のフレーズ事典

2023年1月10日　第1刷発行

監修者　吉田裕子
発行者　永岡純一
発行所　株式会社永岡書店
〒176-8518　東京都練馬区豊玉上1-7-14
TEL.03-3992-5155（代表）
TEL.03-3992-7191（編集部）

DTP・製版　センターメディア
印刷　精文堂印刷
製本　ヤマナカ製本

ISBN978-4-522-43981-4　C0036